明式家具珍賞

選堂題耑

饒宗頤

谨以此册
纪念
陈梦家先生

明式家具珍赏

王世襄编著

文物出版社

图书在版编目（CIP）数据
明式家具珍赏／王世襄编著．－2版．－北京：文物出版社，
2003.9（2023.1重印）
ISBN 978－7－5010－1509－2

Ⅰ．明…　Ⅱ．王…　Ⅲ．家具－鉴赏－中国－明代
Ⅳ．TS666.204.8

中国版本图书馆CIP数据核字（2003）第059590号

明式家具珍赏

编　　著：王世襄

题　　签：饶宗颐
摄　　影：张　平
实 测 图：叶柏风
插　　图：袁荃猷
封面设计：张　弓
责任印制：王　芳
责任编辑：周　成

出版发行：文物出版社
社　　址：北京市东城区东直门内北小街2号楼
邮　　编：100007
网　　址：http://www.wenwu.com
制版印刷：文物出版社印刷厂有限公司
经　　销：新华书店
开　　本：635mm×965mm　1/8
印　　张：36
版　　次：2003年9月第2版第1次
印　　次：2023年1月第15次印刷
书　　号：ISBN 978－7－5010－1509－2
定　　价：300元

凡 例

一、本画册收录明式家具珍品共162件，主要分为文字论述（前言）、彩色图版和图版解说三个部分进行介绍。全书彩图连局部特写332幅，家具实测图42幅，黑白图186幅。前言部分有插图52幅。

二、收录之家具，先分类，后按器形之由简而繁，造型之由基本形式到成熟阶段来作次序，编排出各家具之图号。遇有因版面上的设计问题而引致家具不能按图号顺序载出时，仍以学术分类为主，宁跳号而不改图号。

三、局部特写图均以①、②……为号，而实测图，则仅在主图说明文字后加（附实测图），而不再另编图号。

四、前言、图版解说中的（图版1）、（图版2）……指彩色图版；（插图1.1）、（插图2.1）……指前言内的插图。

五、收录之家具在图版说明中均已注明藏处，但为使读者更清晰地一览藏者及其收藏品，故在书末再附有《家具收藏者一览表》，以供参考和索引。

目 录

图版目录

椅凳类

桌案类

床榻类

柜架类

其他类

其人其书（代序）

黄苗子

对于美术，我是一个什么都感兴趣的门外汉。记得1949——1950年间初到北京，那时北京饭店对面还是一片空地，长达一两里路都是摆地摊的；古旧书画、文物珍玩以至于日用衣着，应有尽有。郭沫若先生曾花了只当今天三十五元的贱值买了一部用细木箱装的“二十四史”，摆满了一个墙面。后来，在我的朋友、已故的著名音乐家盛家伦的介绍下，我仅花了四十元美金便换得半房子有关中国书画的线装书。还记得清楚的是：和工艺美术家张仃（前中央工艺美术学院院长）一起到东不压桥一家德国人开的古董店，看到一件榉木矮扶手椅，造型十分考究，每一根直线和曲线，每一个由线构成的面，配合呼应形成的空间分割，是如此恰到好处，使人产生一种稳重中有变化，严谨中带灵活的美感。中国艺术是善于把畸和正、简和繁、动和静、险和夷这些矛盾统一起来的。而从水墨画到家具都巧妙地发挥简和静之美，艺术家们追求的是用极其简练的艺术语言恰到好处地表达事物的外在与内涵。宋玉形容美女：“增之一分则太长，减之一分则太短；施粉则太白，施朱则太赤。”在明式家具或八大山人的水墨画中，都给予我们这种感觉。这是中国明代家具给予我第一次美的诱惑。我当时心头突突，很想买回去据为己有，但终于由张仃替学院买了下来。此物现已被王世襄收入这本图录中（图版52）。

以后，我在隆福寺旧书店买到一本杨耀先生的《中国明代室内装饰和家具》，是1942年《北京大学论文集》的抽印本，篇幅很薄，但是对于念念不忘那具扶手椅的我，已经增加了一点对明式家具的感性认识。不久，旧书店又送来一帙德国人艾克（G.Ecke）著的《中国花梨家具图考》，图版十分丰富，我不假思索地买下来，但到1957年，我连同心爱的《中国版画史图录》（郑振择著）都忍痛卖掉了。读到艾克的书，可以说是我接触到中国明式家具工艺的开头。我当时很想做点研究，从美学上说明明式家具为什么那么迷人。但这只是幻想，直到今天，我对美学还是摸不着门。对于明式家具，也只限于观赏赞叹而已。

50年代初期，真是读书人的好时代，回忆起上面的一些鳞爪，还是令人神往的。又如买书，不是你跑到琉璃厂去还买不着，而是琉璃厂的书店伙计知道你平时爱什么书，给你送上门来。

应当言归正传了，我认识王世襄（畅安）兄也是50年代初由盛家伦介绍的。1957年，由于某种“误会”，我不能住在西观音寺了。1958年初，畅安慷慨地让我搬进芳嘉园他家院子的东屋，“结孟氏之芳邻”，确是平生一快。论历代书画著述和参考书，他比我多。论书画著述的钻研，他比我深（他写有一本《中国画论研究》，尚未出版）。论探索学问的广度，他远胜于我。论刻苦用功，他也在我之上。那时我一般早上五点就起来读书写字，但四点多，畅安书房的台灯，就已透出亮光来了。

尤愆如山负藐躬，
逡巡书砚未途穷；
邻窗灯火君家早，
惭愧先生苦用功。

这是我当时写给畅安的一首七绝。头二句，指的是当时我们都遭到同样的命运，希望在笔砚上用点功，以图“赎罪”的意思。可是，三四年工夫，畅安就以刻蜡版的方式，油印出《髹饰录解说》、《画学汇编》、《清代匠作则例汇编》、《雕刻集影》等数十万字的述作。且不说刻蜡版油印是彼时彼地他唯一能够做到的出版方式，只是从工作质量上看，在很不平凡的环境条件下，能够如此自觉自愿地、绝不尤怨地、全心全意地、毫无利己地创造出近乎奇迹的成就，这已是我望尘莫及的了。

畅安治学凭两股劲：傻劲和狠劲。自青年时代起，他从放大鹰、喂獾狗、养蛐蛐、玩鸽子，到研究美术史、建筑营造以及明式家具，都以一种锲而不舍的精神，一钻到底，总要搞出个名堂来才善罢甘休。他是一个真正了解中国文化生活和民俗学的人（单是老北京的放鹰走狗，他就能如数家珍地谈上一天一夜）。他做学问爱搞些“偏门”，人弃我取，从不被注意的角度上反映中国传统文化。“文不雅驯，荐绅先生难言之”（《史记》）。畅安做学问一是不单纯靠书本知识，他那本研究漆器的巨著《髹饰录解说》，是搜集了大量古代资料，再不怕艰辛地去走访远近的漆工，一条一条地记下他们的实践经验和术语名词，这种和有直知卓识的工匠交朋友，以今证古的治学方法，在这本明清家具书中也充分体现，而这种方法，确不是“荐绅先生”所能做到的。本书以及漆书，大量地征引当代工匠不大“雅驯”的口头资料，正是给我国传统文化保留了宝贵资料的难能实践。

记得“文革”前，有一个夏夜，我很晚从外头回来，在南小街路口的街灯下，见到畅安穿着一件破背心和一条短裤衩，正蹲在路灯下和一位同他的衣着相当、抽着烟袋锅的老汉热烈谈论，我走过去一问，原来他正在请教这位老工人种矮竹的方法。直到今天，已经荣任全国政协委员的王畅安，由于多年来天天骑着自行车上菜市场，和去那里采购的厨师切磋烹调谱，与售货员研究商品学，正是在这个基础上，1983年他去人民大会堂担任全国烹饪名师技术表演鉴定会顾问时，能提出精辟中肯、大可一语中的的见解，去评判来自全国名厨的肴馔。

畅安治学的另一个特点是严肃认真的科学态度。他征引一条资料一定要反复核实，绘制一件家具一定要搞清它的结构，完成一本书一定要加上索引，以方便读者查阅。这种在30—40年代北平学术界的优良传统，50年代后已逐渐式微，只有在畅安的著述中，我们还可看到这些可贵的认真态度与科学精神（本书姊妹篇，他的另一部以文字为主的专著《明式家具研究》，单是名词术语简释便附有一千多条）。

“世界上怕就怕‘认真’二字”。这句名言不但反映在畅安锲而不舍的治学态度上，也反映在他的生活兴趣上。他游黄山爱上了歙县乡间的一株富有文征明画意的老桩古柏，费尽力气把他从乡间运到歙县长途汽车站，连夜排队买了两张靠近车门的座位票，自己坐一个位子，抱着大盆柏树占另一个位子，好容易到了杭州，然后央求列车乘务员准许他随身托运带到北京，放在当年安静幽雅的芳嘉园院子里。自然，在十年浩劫中，这株费尽心血远道运回来的古柏，也终于是“彩云易散琉璃碎”了。

据我所知，继艾克的著作之后，外国学者研究中国明式家具艺术的著作和文章，还不断出现。但是中国人评论《汉姆雷特》总没有英国文学家来得透澈；外国人研究另一个国家的风土、文化，总不如本国人入木三分。可是在中国，50年代收藏明式家具与畅安相埒的考古学家、诗人陈梦家先生，在“文革”中被迫害致死之前虽已著作等身，但还没有关于家具的文稿留传下来。现在，中国人研究自己的明式家具而卓有成就、蜚声国际的，就只有畅安一人了。

香港的新闻界，早就流传说北京有一位酷爱明式家具的“妙人”，因在十年动乱中及以后一段时间没有房子摆放，把家具堆满一间仅有的小室，在既不能让人进屋、也不好坐卧的情况下，老两口只好蜷局在两个拼合起来的明代柜子内睡觉，这位“妙人”就是王世襄。我曾赠他一联：“移门好就橱当榻（改梁茝林句。移门指卸下柜门），仰屋常愁雨湿书。”横额是“斯是漏室”。

今年年初的一个晚上，畅安冒着严寒，骑着自行车远征到我已迁居东郊的家。他脱下了罩褂，露出束着腰带的棉袄，然后小心翼翼地从怀中掏出他的宝贝——一个一个装着虫儿的葫芦，放在桌上（那里的小动物最初还有点害羞和陌生，等到安定下来，暖气给了它们舒适感，它们就“悠悠悠”“悠悠悠”地唱起来），就和我谈到他这本《明式家具珍赏》将要出版。我是义不容辞地应当给它写点介绍文字，但我不想谈大家将会从此书领略到什么。我觉得，让大家多了解一些本书作者，一位热爱生活、热爱祖国、热爱祖国传统文化而又孜孜不倦地希望在这方面做点贡献的学者的活的形象，可能使读者在阅读本书时，增加一点兴趣。

1985年5月1日

前言——中国传统家具的黄金时代

王世襄

一　明至清前期是传统家具的黄金时代

我国起居方式，自古至今，可分为席地坐和垂足坐两大时期。席地坐，包括跪坐，都以席和床为起居中心。大约从商、周到汉、魏，没有太大的变化。所用家具都比较低矮。从西晋时起，跪坐的礼节观念渐渐淡薄，箕踞、趺坐或斜坐，从心所欲；随之而兴的是放在床上可供傍倚或后靠的凭几（插图1.1）和隐囊（插图1.2）等①。至南北朝，垂足坐渐见流行，高形坐具，如凳与筌蹄（插图1.3）等，相继出现②。入唐以后，不仅椅、凳不算罕见，还出现高形的桌案。但跪坐和趺坐当时依然存在，唐代正处在两种起居方式消长交替的阶段。

到了宋代，人们的起居已不再以床为中心，而移向地上，完全进入垂足高坐的时期，各种高形家具已初步定型。到了南宋，家具品种和形式已相当完备，工艺也日益精湛。我国家具在这个优良而深厚的基础上发展，至明代而呈放异彩，成为我国传统家具的黄金时代。这个高峰延续至清前期。可惜到了乾隆年间，工料虽精，但雕饰繁琐，风格大变。清代晚期，进人了半封建、半殖民地社会，家具和其他工艺一样，每下愈况，衰退不振。

宋代以前，不仅和后来的起居方式及家具品种相去太远，而且即使当时有过精美的家具也很少能保存下来。宋代以后，即改为垂足高坐以来的一千年中，制造出的大量工料精良、艺术价值极高的家具得以流传至今的，只有明及清前期。这也是我们称之为传统家具黄金时代的主要原因之一。

明及清前期家具之所以能有如此之高的成就，除了继承宋代的优良传统外，主要有两个原因：一是由于城市乡镇的繁荣，商品经济的发展，不仅大大增加了家具的需求，而且改变了社会习尚，兴起了普遍讲求家具陈设的风气。二是海禁开放，大量输入硬木，使工匠有可能制造出精美坚实并超越前代的家具。

据《明书·食货志》，宣德时全国设有钞关（税收机构）的大工商城市，包括北京和南京在内，有三十三个③。明中叶以后，不仅有二十多个上升到大工商城市行列，原来的大工商城市也更加繁荣。以南京为例，万历以后，商业兴旺，人口大增。谢肇淛《五杂俎》称："金陵街道宽广，虽九轨可容。近来生齿渐繁，居民日密，稍稍侵官道以为廛肆"④。再就江南一带新兴市镇而言，据《乌青镇志》记载："乌镇与桐乡之青镇，东西相望。升平既久，户口日繁。十里以内，居民相接，烟火万家……地大户繁，百工之属，无所不备。"⑤以丝织为中心行业，兼是货物聚散地的震泽、平望、双杨、严墓、檀丘、梅堰等镇，到嘉靖与万历年间，居民和商业

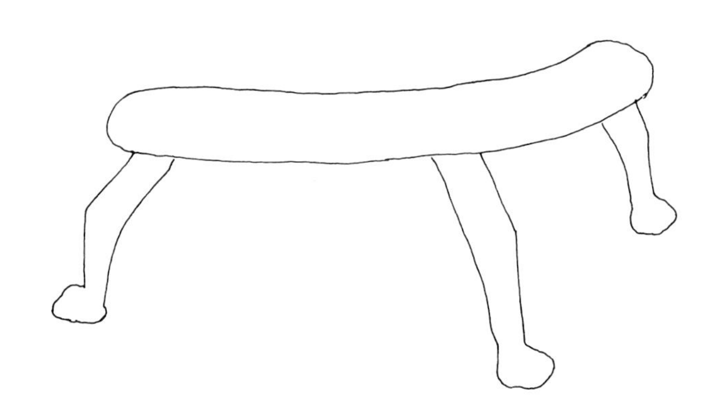

1.1 南京近郊六朝墓出土陶凭几

1.2 龙门石窟宾阳洞北魏浮雕（维摩诘倚隐囊）

比过去都数倍或十倍地增长⑥。地方志虽没有提到当时当地的家具制造业，但家具既然是生活必需品，必然属百工之一，和其他手工业一样，也有很大的发展。

明人著述有讲到明中期以后市民讲求使用硬木家具并形成风气的记载。范濂《云间据目抄》载："细木家伙，如书桌禅椅之类，余少年曾不一见。民间止用银杏金漆方桌。自莫廷韩与顾、宋两家公子，用细木数件，亦从吴门购之。隆、万以来，虽奴隶快甲之家，皆用细器，而徽之小木匠，争列肆于郡治中，即嫁装杂器，俱属之矣。纨袴豪奢，又以椐木不足贵，凡床厨几桌，皆用花梨、瘿木、乌木、相思木与黄杨木，极其贵巧，动费万钱，亦俗之一靡也。尤可怪者，如皂快偶得居止，即整一小憩，以木板装铺，庭蓄盆鱼杂卉，内则细桌拂尘。号称'书房'，竟不知皂快所读何书也！"⑦王士性《广志绎》也讲到："姑苏人聪慧好古，亦善仿古法为之……又如斋头清玩，几案床榻，近皆以紫檀花梨为尚。尚古朴不尚雕镂。即物有雕镂，亦皆商、周、秦、汉之式。海内僻远，皆效尤之，此亦嘉、隆、万三朝为始盛。"⑧以上史料，说出了明中期以后购置硬木家具成为一种比较普遍的社会风气，而且讲的正是明式家具的主要产地——江南苏松地区。这种风气促进了硬木家具生产，数量大增，工艺也精益求精，达到了前所未有的水平。

1.3 龙门石窟莲花洞南壁北魏浮雕（坐具为筌蹄）

家具生产当然是和木材分不开的。国内木材不充裕时就要依靠进口。开放海禁也恰好在隆庆之时。周起元《东西洋考》序说："……我穆庙（指明穆宗）时除贩夷之律，于是五方之贾，熙熙水国……捆载珍奇，故异物不足述，而所贸金钱，岁无虑数十万，公私并赖，其殆天子之南库也。"⑨所谓"除贩夷之律"，就是开放海禁，允许私人海外贸易。南洋各地，盛产各种珍贵硬木，无可置疑，进口木材，也大大促进了明、清硬木家具生产。

综上所述，可见明至清前期这二、三百年间，迎来了传统家具的黄金时代，它由不同的因素促成，而这些因素都和社会、经济及时代密切相关，所以决不是偶然的。

以下分节，从不同的角度结合实物对明及清前期的家具进行阐述探讨。这将使我们更加认识到这一时期确实是传统家具的黄金时代。

注 释

① 凭几弯木下有三足，放在床上可供人向前或向后倚靠。江宁赵史岗1号墓曾发现陶制明器。见江苏省文物管理委员会《南京近郊六朝墓的清理》，《考古学报》1957年1期，图版贰。隐囊，即袋形大软垫，亦供人倚靠，如龙门石窟宾阳洞浮雕维摩诘在床上倚靠的一件。见傅芸子《正仓院考古记》页91，插图23，日本文求堂1941年版。

② 筌蹄是一种细腰的高形坐具，如敦煌285窟北魏壁画得眼林故事所绘的一件。敦煌文物研究所《敦煌壁画集》图版18上，文物出版社1957年版。筌蹄亦见龙门石窟莲花洞南壁下层第二龛内西侧佛传浮雕。龙门保管所《龙门石窟》，图版82，文物出版社1980年版。

③ 清傅维鳞《明书》卷81，页10（《志》20，《食货志》一），见《畿辅丛书》，1913年刊本。

④ 明谢肇淛《五杂俎》页72，（卷3《地部》一），中华书局1959年影印本。

⑤ 清董世宁等纂《乌青镇志》卷2，页1（《形势》），乾隆二十五年修本。
⑥ 清陈和志纂《震泽县志》卷4，页1—2（《镇市村》），光绪十九年重刊本。
⑦ 明范濂《云间据目抄》卷二，页3，见《笔记小说大观》第三辑，民国石印本。
⑧ 明王士性《广志绎》卷二，页24，见《台州丛书》，嘉庆间宋氏刊本。
⑨ 明张燮《东西洋考》，周起元《序》，页1，见《丛书集成初编·史地类》，商务印书馆1935—1937年影印本。

二 制造家具的珍贵木材

明及清前期家具之所以能达到这样高的水平，采用坚硬致密、色泽幽雅、花纹华美的珍贵木材是一个重要的因素。下面只讲黄花梨、紫檀、鸂鶒木、铁力、榉木五个主要品种，并附带述及瘿木。

（一） 黄花梨

这段时期制造考究家具的首要材料是黄花梨。册中所收家具实物约一百六十件，黄花梨制的超过一百件，即是明证。这种木材颜色不静不喧，恰到好处，纹理或隐或现，生动多变，难怪得到很多家具爱好者的珍视。

黄花梨古无此名，而只有“花梨”，或写作“花榈”。后来冠以“黄”字，主要藉以区别现在还大量用来制造家具的所谓“新花梨”。

花梨早在唐代已经陈藏器收入《本草拾遗》称“花榈出安南及海南，用作床几，似紫檀而色赤，性坚好。”①明初王佐增订《格古要论》讲到：“花梨出南番广东，紫红色，与降真香相似，亦有香。其花有鬼面者可爱，花粗而色淡者低。”②清刊本《琼州府志 · 物产 · 木类》：“花梨木，紫红色，与降真香相似，有微香，产黎山中。”③另外还可以从其他文献得知其主要产地在海南岛。1956年出版由侯宽昭主编的《广州植物志》在檀属（Dalbergia）中收了一种在海南岛被称为花梨木的檀木，为新拟名曰“海南檀”（Dalbergia hainan-ensis），对此树的描述是：“海南岛特产……为森林植物，喜生于山谷阴湿之地，木材颇佳，边材色淡，质略疏松，心材色红褐，坚硬，纹理精致美丽，适于雕刻和家具之用……本植物海南原称花梨木，但此名与广东木材商所称为花梨木的另一种植物混淆，故新拟此名以别之。”④据此可知黄花梨到了近年才有它的学名，叫“海南檀”。1980年出版由成俊卿主编的《中国热带及亚热带木材》，对侯宽昭的定名又有所修正，建议把该树种从海南黄檀（Dalbergia hainanensis）分出来，另定名为“降香黄檀”（Dalbergia oderifera）。

其理由是："本种为国产黄檀属中已知唯一心材明显的树种。"其"心材红褐至深红褐或紫红褐色，深浅不均匀，常杂有黑褐色条纹。"而"边材灰黄褐或浅黄褐色，心边材区别明显。"它原认为与心材和边材颜色无区别的海南黄檀同是一种，"今据木材特性另定今名"⑤。在传世的黄花梨家具上我们可以看到边材和心材在颜色深浅上的差异。

（二） 紫檀

紫檀早在公元3世纪已经崔豹在《古今注》⑥著录。此后苏恭《唐本草》⑦、苏颂《图经本草》⑧、叶廷珪《香谱》⑨、赵汝适《诸蕃志》⑩、《大明一统志》⑪、王佐增订《格古要论》⑫、李时珍《本草纲目》⑬、方以智《通雅》⑭、屈大均《广东新语》⑮、李调元《南越笔记》⑯等书均有论及。各书所记产地不一，主要在印度支那，而我国云南、两广等地亦有生产。

查陈嵘《中国树木分类学》（以下简称《分类学》），紫檀属（Pterocarpus）是豆科（Leguminosae）中的一属，约有十五种，多产于热带。其中有两种亦产于我国，一为紫檀（Pterocarpus santalinus），一为蔷薇木（Pterocarpus indicus）⑰。按紫檀很少有大料，与可生长成大树的Pterocarpus santalinus生态不符，而与学名为Pterocarpus indicus的蔷薇木相似。美国施赫弗(E.H.Schafer)曾对紫檀作过调查，认为中国从印度支那进口的紫檀是蔷薇木⑱。看来即使我国所谓的紫檀不止一个树种，可以相信至少有一部份是蔷薇木。

我国自古即认为紫檀是最名贵的木材。由于过于名贵，故紫檀器物比黄花梨的要少。倘是大形家具，因材料难得，更视同珠璧，实例如宋牧仲旧藏的插肩榫大画案（图版115）、浮雕灵芝纹的画桌（图版110）。

紫檀在各种硬木中质地最坚，分量最重，除多为紫黑色外，有的黝黑如漆，几乎看不见纹理。它不及黄花梨那样华美，但静穆沉古，是任何木材都不能比拟的。

（三） 鸂鶒木

"鸂鶒木"有不同的写法，或作"鸡翅木"，或作"杞梓木"。北京匠师普遍认为鸂鶒木有新、老两种。新者木质粗糙，紫黑相间，纹理浑浊不清，僵直无旋转之势，而且木丝有时容易翘裂起茬。老鸂鶒木肌理致密，紫褐色深浅相间成文，尤其是纵切面纤细浮动，具有禽鸟颈翅那种灿烂闪耀的光辉。清中期以后，家具用老鸂鶒木的甚少，新的则一直到现在还在使用。本册所收各件（图版70、71、102、139、161）均为老鸂鶒木。

前代文献对鸂鶒木说得最为详细的要数屈大均。他在《广东新语·语木·海南文本》一条中讲到有的白质黑章，有的色分黄紫，斜锯木纹呈细花云。子为红豆，可作首饰，同时兼有"相思木"之名⑲。所说色分黄紫一种和老鸂鶒木十分相似。据陈嵘《分类学》，鸂鶒木属红豆属（Ormosia），计约四十种⑳。侯宽昭《广州植物志》则称共计在六十种以上，我国产二十六种㉑。其中究竟哪一种或几种为老鸂鶒木，尚待从家具取样，请植物学家作鉴定才能有明确的答案。

（四） 铁力

"铁力木"，或作"铁梨木"、"铁栗木"，在几种硬木树种中长得最高大，价值又较低廉。《格古要论》谓"东莞人多以作屋"㉒，《广东新语》谓"广人以作梁柱及屏障"㉓，《南越笔记》谓"黎山中人以为薪，至吴楚间则重价购之"㉔，都足以说明这一点。铁力因材料大，不少大件家具用它做成（图版92），有时以之用在家具后背，或作屉板及抽屉内部等，实例如紫檀直棂架格（图版135）。它有时有花纹，似鸂鶒木而较粗，过去家具商曾取它充替鸂鶒木出售。

铁力木学名Mesuaferrea，陈嵘《分类学》称："大常绿乔木，树干直立，高可十余丈，直径达丈许……原产东印度。据《广西通志》载，该省容县及藤县亦有之。木材坚硬耐久，心材暗红色，髓线细美，在热带多用于建筑。广东有用为制造桌椅等家具，极经久耐用。"㉕所说和明及清前期家具所用的铁力木完全符合。

（五） 榉木

榉木属榆科，“榉”常被简写作“椐”。北方不知榉木之名，而称之曰“南榆”。它比一般木材坚实但不能算是硬木，在明清家具用材中却占有重要位置，自古即受人重视。李时珍㉖、方以智㉗均有论及。明及清前期榉木家具在南方乡镇尚有存者，册中五件（图版33、36、105、123、142）近年来自太湖地区。流传在北方的所谓南榆家具也不少，多作明式，造型及制作手法与黄花梨等硬木家具相同，故老匠师及明式家具的真正爱好者都颇予重视，认为不应因用料较差而贬低它的艺术价值和历史价值。

据陈嵘《分类学》，榉属学名为Zelkova，产于江、浙者为大叶榉树，别名榉榆或大叶榆，木材坚致，色纹并美，用途极广，颇为贵重。其老龄而木材带赤色者特名为“血榉”云㉘。按：榉木有很美丽的大花纹，层层如山峦重叠，苏州木工称之为“宝塔纹”，在矮南官帽椅的靠背板上清晰可见（图版52）。

（六） 瘿木

瘿木不是树种名称，而是老干盘根错节，结瘤生瘿处的木材叫瘿木，北京匠师称之曰“瘿子”。他们认为任何一种树都可能有瘿子，而生瘿处的木材总是有旋转的细密花纹。曾见紫檀坐墩，其面板用的是紫檀瘿子。大树而根部容易生瘿，并能开出较大板片的首推楠木。《格古要论》楠木条中讲到“骰柏楠”、“斗柏楠”都是楠木瘿子，而所谓的“满面葡萄”更是用一串串葡萄来形容楠木瘿子的花纹㉙。故宫藏的四具有束腰紫檀圈椅，攒靠背板中间的一方就是用瘿木板片镶成的（图版56）。

注 释

① 据李时珍《本草纲目》卷35下，页60，《榈木》条引文引。商务印书馆1930年影印本。

② ⑫㉒㉙明王佐《新增格古要论》卷8，页5—9，《异木论》，见《惜阴轩丛书》，道光二十六年刊本。

③ 清明谊等修《琼州府志》卷5，页26，道光二十一年刊本。

④ 侯宽昭主编《广州植物志》，页345，科学出版社1956年版。

⑤ 成俊卿等著《中国热带及亚热带木材》，页260—262，科学出版社1980年版。

⑥ 晋崔豹《古今注》卷下，页2，《草木第六》，《四部丛刊》三编本。

⑦⑧⑨⑪ 据李时珍《本草纲目》卷34，页104，《檀香》条引文引。商务印书馆1930年影印本。

⑩ 宋赵汝适《诸蕃志》卷下，页6，《檀香》，见《学津讨原》，嘉庆十年张氏旷照阁刊本。

⑬ 明李时珍《本草纲目》卷34，页104，《檀香》，商务印书馆1930年影印本。

⑭ 明方以智《通雅》卷43，页10，浮山此藏轩刊本。

⑮㉙㉝ 清屈人均《广东新语》卷25，页48—50，《木语·海南文木》，康熙庚辰木天阁刊本。

⑯㉔ 清李调元《南越笔记》，卷13，页5—6，《紫檀花梨铁力诸木》，见《函海》，光绪八年钟登甲刊本。

⑰ 陈嵘《中国树木分类学》，页539，上海科学技术出版社1959年版。

⑱ Edward H.Schafer Rosewood，Dragon’s Blood and Lac，Journal of American Oriental society，Vol.77，No2，p.p.129—136.

⑳ 同⑰页529。

㉑ 同④页343。

㉕ 同⑰页849。

㉖ 同①卷35下，页44。

㉗ 同⑭。

㉘ 同⑰页222。

三　传统家具造型溯源

我国传统家具，就其造型来说，有的无束腰，有的有束腰。无束腰家具如“几”和“案”，其制甚古，商周已有。有束腰家具则比无束腰家具要晚得多。

唐宋之际，由于生活方式的改变，出现了新兴家具“高桌”。高桌形式不一，有的吸取了大木梁架的造型和结构，成为无束腰家具；有的吸取了壸门床、壸门案和须弥座的造型与结构，成为有束腰家具。流风所及，束腰在别种家具上也纷纷出现，到南宋已和无束腰家具渐成对等之势。在明及清前期家具中，无束腰、有束腰更是普遍存在，形成了两大体系。面对这时期的实物，如果我们看清楚它们的造型，进而溯其渊源，就会认识到何以会形成如此的造型，从而能够探索到家具造型的一些规律。

先说大木梁架，无束腰高桌渊源于此。梁架的柱子多用圆材，直落到柱顶石上。为了稳定，柱子多带“侧脚”①，下舒上敛，向内倾仄。柱顶安楷头，并用横材额枋等连接。再看无束腰高桌，实例如河北钜鹿北宋遗址出土的一件（插图3.1），腿足也用圆材，直落地面，无马蹄，带侧脚，上端有近似楷头的牙头，安横枨，和大木梁架的造型及结构基本相同。

再说壸门床、壸门案和须弥座，有束腰高桌渊源于此。唐代壸门床常见于敦煌画（插图3.2）。壸门案如《宫乐图》中所见（插图3.3），它们都四面平列壸门。从早于唐的云冈北魏浮雕塔的塔基（插图3.4），到晚于唐的王建墓棺床（插图3.5），须弥座都有束腰。须弥座束腰部分也往往平列壸门，和壸门床十分相似。

自唐以降，床的演变由繁趋简，当由每面平列几个壸门简化到一个壸门时，便和南宋时四足下有托泥的床榻或高桌相似。前者如李嵩《听阮图》中的榻（插图3.6），后者如马远《西园雅集图》中的桌（插图3.7）。如再进一步连足底的托泥也省略掉，那就成了明式家具中的四面平式了（插图3.8）。四面平式吸取了简化之后的壸门床造型，但更多的家具在此之外还把须弥座上的束腰也移植了过来，成为有束腰家具。

从垂足而坐的生活方式来考虑，不难意识到高桌为了便于使用，下部必须留有足够的空间。高度既增，便容易摇晃，产生结构不稳的矛盾。解决矛盾的办法，除用托泥外，只有在腿足的上端加强连接。因此束腰的移植只能把它放在高桌的上部。这样既不占下部空间，有利于使用，还可以解决结构不稳的矛盾。有束腰高桌，尤其是高束腰式的高桌（插图3.9），和须弥座的造型是如此之相似，只要把它们并列在一起，便立即能看到它

3.1 河北钜鹿北宋遗址出土高桌（据宿白《白沙宋墓》）

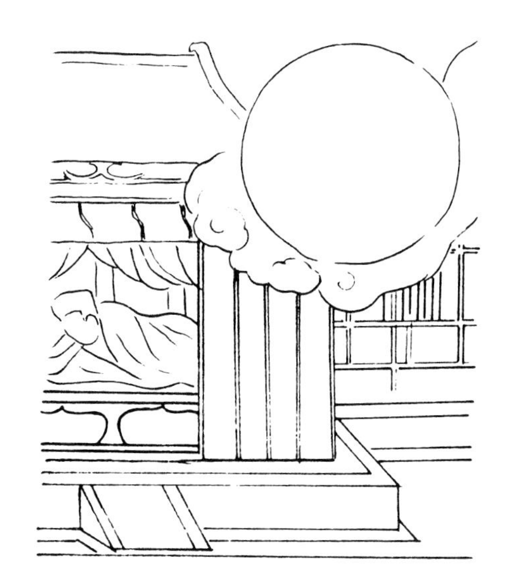

3.2 敦煌唐代画中的壸门床

3.3 唐人宫乐图

3.4 云岗石窟北魏浮雕塔（塔基用须弥座）

们之间的密切关系。可以断言，北宋时期在家具上出现的束腰，是从须弥座移植过来的。

唐代壶门床和须弥座都四面见方，垂直不带侧脚。有束腰高桌的腿足也多用方材，不带侧脚。壶门从床上消失蜕化之后，只剩下歧出的牙脚，它就是有束腰家具足端的马蹄。有束腰家具的造型和结构与壶门床及须弥座有许多相同之处。

上面不惜辞费，目的只在阐明一个问题，即无束腰家具和有束腰家具各有其渊源，因而各有其造型和结构。从无数的明、清实例可以得到认识，由于无束腰家具来源于大木梁架，故足端不会有马蹄，足下也不会有托泥。因为马蹄和托泥都是壶门床的残余，在大木梁架中是不存在的。四面平式家具虽无束腰，但足端有马蹄，也可以有托泥。因为四面平式渊源于壶门床。就连比较少见的有束腰的“矮桌展腿式”②（图版84、91），为什么要把它做成彷佛是接了腿的矮桌，而且腿足是上方下圆的，也可以得到认识。那就是由于它有束腰，故必须是方腿。要做圆腿也须在由方腿矮桌作一结束之后才能再接圆腿。再看形式古老的案也不例外，不论是条案（图版102、103）还是画案，足下都可以用横木作托子，但从来不见有方框式的托泥。这是因为古代的案足底常设横跗（插图3.10）③，亦即后来所谓的托子。但托泥相当于壶门床的底框，是不会在案上出现的。由此可知，不同家具的不同造型，都忠实于不同的渊源，彼此之间，界限分明，不掉换，不掺混，例外只是极少数。历时上下千百年，处地相去几千里，矩矱法式，基本不变，这就是传统家具的造型规律。

3.5 五代王建墓棺床

明及清前期的家具造型，式样纷呈，常有变化。表面上似乎是能工巧匠，各抒才智，随心所欲，尔率操斤，便成美器；实则不然，任何式样，都有相当严格的准则法度，决不是东拼西凑，任意而为的。到清中期，为了迎合统治者的趣味，就难免标新立异，炫巧争奇，设计出悖谬不经、违反规律的家具来。我们认为明及清前期是传统家具的黄金时代，这也是理由之一。

3.6 南宋李嵩听阮图中的榻

3.7 南宋马远西园雅集图中的高桌

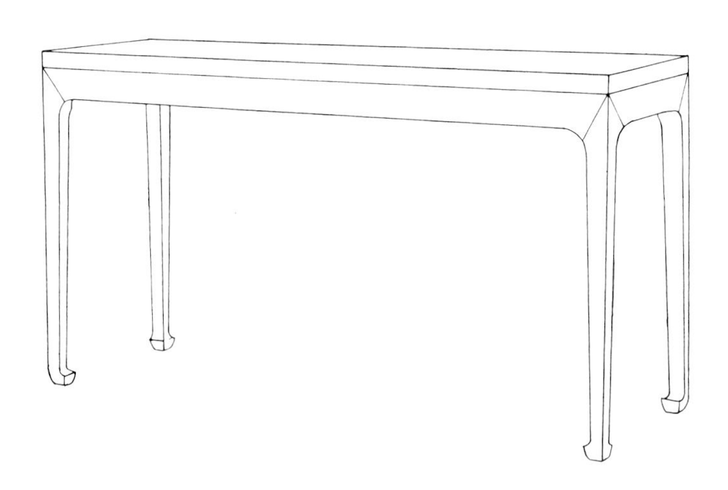

3.8 明四面平式条桌

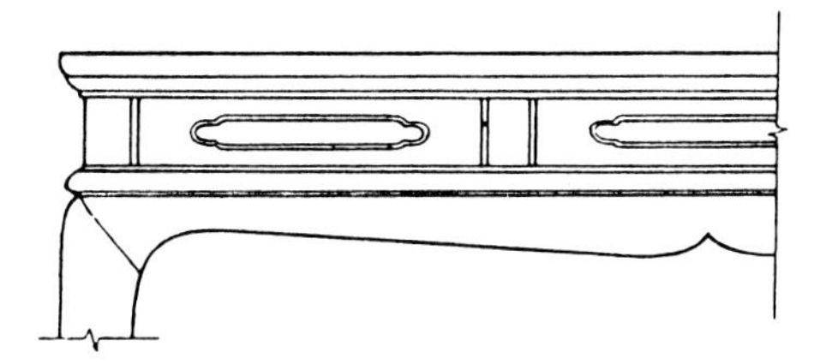

3.9 明高束腰条桌局部

3.10 河南信阳战国墓出土案

注　释

① 宋李诫《营造法式》卷5，页103，《柱》中称："凡立柱并令柱首微收向内，柱脚微出向外，谓之侧脚。"商务印书馆据《万有文库》版1933年重印本。

② 此种形式的半桌、方桌曾向多位匠师请教，未能道出其名称。今称是笔者试拟的。

③ 战国漆木器案、俎等足下着地的横木，据商承祚先生考证，古名为"跗"。见所编《长沙出土楚漆器图录》图版三俎说明。中国古典艺术出版社1957年版。

四　家具的品种和形式

明及清前期的家具品种虽不及清中期以后那样繁多，但上视宋元，堪称大备。如依其功能加以类别，可分为：椅凳、桌案、床榻和柜架四类。另将用途各异、实物不多的品种合并成“其他类”，共得五大类。

搜集家具品种，自难色色俱全，本册只能做到大体具备。形式排列，常从最基本的开始，进而及其变体。不过既是基本形式，各类之间，往往相同，一再出现，必嫌重复。有时故意不收基本形式，以便多选一些比较特殊的例子。在某些品种之后，插入线图，标注构件名称。读者对照阅览，对熟悉匠师习用的名词术语，当有裨益。

（一）　椅凳类

椅凳类包括（1）杌凳，（2）坐墩，（3）交杌，（4）长凳，（5）椅，（6）宝座。

（1）杌凳

“杌”字的本义是“树无枝也”①，故杌凳被用作无靠背坐具的名称。“杌凳”二字连用，在北方语言中广泛存在。

在无束腰杌凳中，直足直枨乃其基本形式，它们或方或长方，尺寸大小可相差甚钜（图版9、10、11）。牙头或光素，或雕云头，有许多变化。如不用牙子，在枨上可以安短柱，名曰“矮老”（图版12）。枨子的做法除直者外，还有中部拱起的“罗锅枨”。枨子两端或与腿足格肩相交（图版14），或表面高出，仿佛缠裹着腿足，名叫“裹腿做”（图版12、13），这是用木材来摹仿竹器的造型。无束腰杌凳，有的腿足下端安枨子，名叫“管脚枨”（插图4.1，图版14）。

有束腰杌凳以直腿内翻马蹄，腿间安直枨或罗锅枨为常式（图版15）。两枨十字相交的只能算是变体（图版16）。直腿之外有略具S形的三弯腿（插图4.2，图版17、18、19）和鼓出而又向内兜转的鼓腿（图版20、21）。管脚枨也可以在有束腰杌凳上出现（图版23）。有时腿足落在木框上，木框之下还有小足。这种木框叫“托泥”（图版24）。

圆形杌凳，传世很少，本册只收两件（图版25、26），后一件已经有些接近坐墩。

（2）坐墩

坐墩又名“绣墩”，由于它上面多覆盖一方丝绣织物而得名。在明及清前期的坐墩上，大都还保留着藤墩和木腔鼓的痕迹。坐墩的开光来自古代藤墩用藤子盘圈做成的墩壁。弦纹及一周圈状如钮扣的纹样则象征绷在鼓面的皮革边缘和钉皮革的帽钉（图版27、28，插图4.3）。直棂式的一件（图版29）已看不出它和藤墩的联系，清中期或更晚的坐墩往往连鼓腔的痕迹也找不到了。

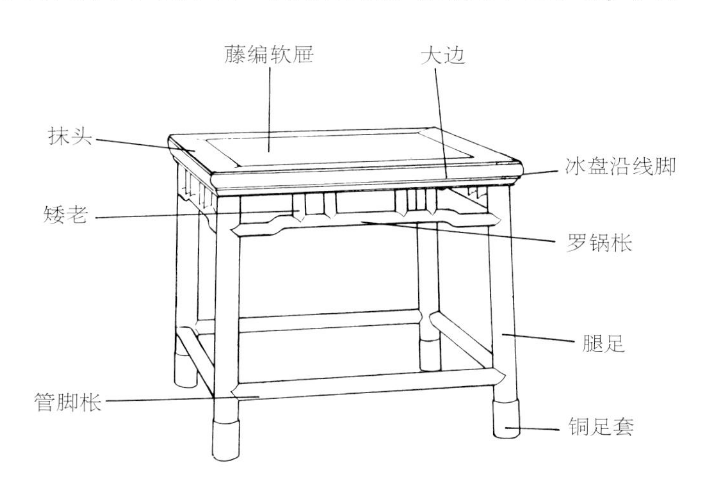

4.1 无束腰罗锅枨加矮老管脚枨方凳

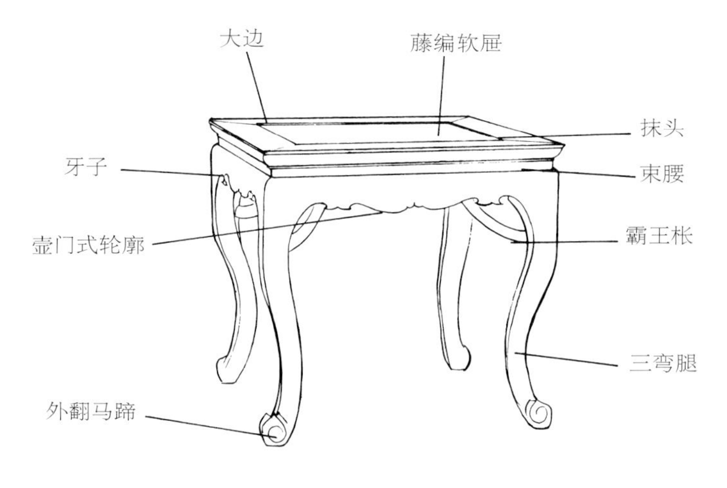

4.2 有束腰三弯腿霸王枨方凳

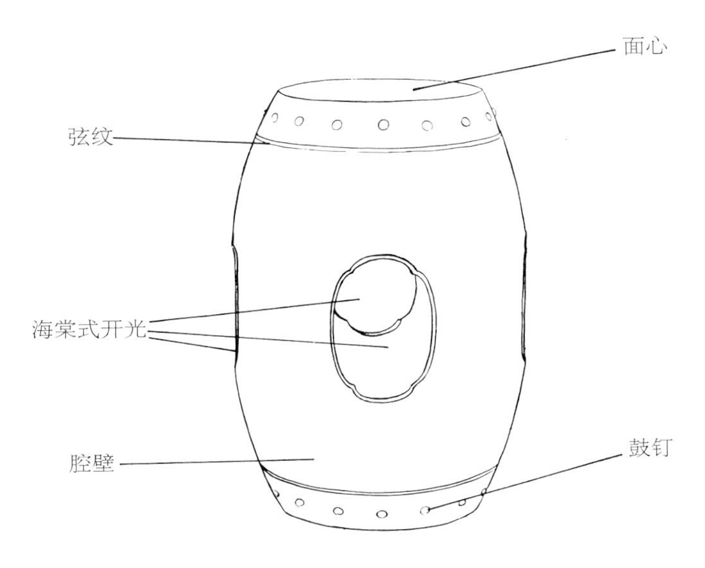

4.3 四开光坐墩

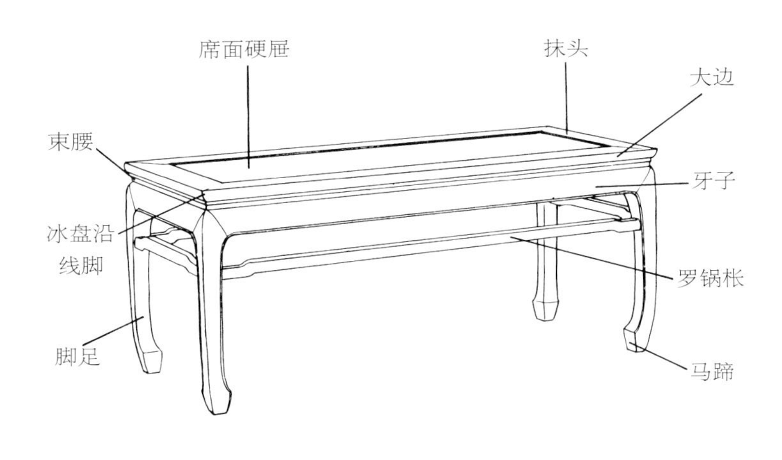

4.4 有束腰罗锅枨二人凳

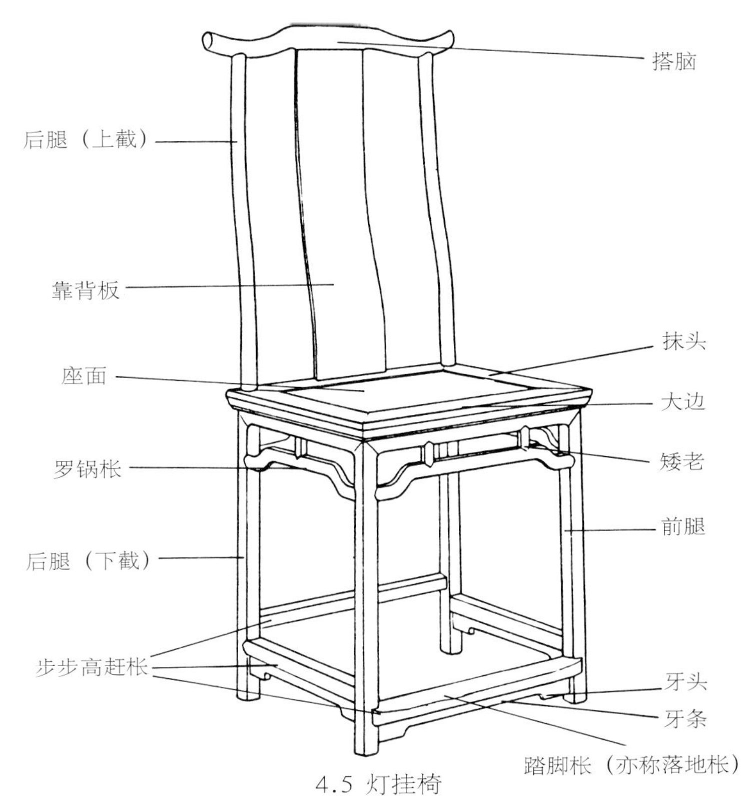

4.5 灯挂椅

（3）交杌

交杌俗称“马闸”，直接来自古代的胡床。它自东汉从西域传至中土后，千百年来流传甚广，基本形式，由八根直木构成，长期不变。实例如小交杌（图版30），虽为清制，和《北齐校书图》②中所见，十分相似。确为明制的一件（图版31），构造反较复杂，足间有可翻转、可装卸的脚床。另一件用木框作杌面，折叠时须向上提拉，故名之为“上折式”（图版32）。

（4）长凳

明清之际，长凳式样繁多，这里只选用了案形结体的小条凳一例（图版33）和桌形结体的二人凳两例（图版34、35，插图4.4）。小条凳是一件民间日用品，在明潘允征墓③出土的明器中可以看到同类的家具。二人凳宜两人并坐而得名，不过南方通常称之为“春凳”。

（5）椅

明及清前期的椅子大体上可以分为：靠背椅、扶手椅、圈椅、交椅四个种类。

只有靠背，没有扶手的椅子都叫靠背椅。不过其中传世实物较多，面窄而背高的一种别有专称叫“灯挂椅”（插图4.5），它以形似南方悬挂灯盏的高梁竹制灯架而得名。这里选用大（图版37）、小（图版36）各一例。凡不属于灯挂椅造型的靠背椅皆泛称靠背椅，册中比较简练的一件（图版39）时代却较晚，雕工精细的一件（图版40）时代却较早。不过它究竟是否曾经拼凑改制，现在还有争议。

凡有靠背又有扶手的椅子，除圈椅、交椅外，都叫扶手椅，有三种主要形式。一种形制矮小，后背和扶手与椅座垂直， 北方叫“玫瑰椅”（图版41、42、43，插图4.6），南方叫“文椅”。据称文椅因文人喜欢使用而得名。“玫瑰”之称，今尚不得其解。玫瑰椅的优点在于轻巧灵便，背矮不遮挡视线，置诸室内，处处相宜。缺点在搭脑正当人背，适宜坐以写作，不宜倚靠休憩。一种搭脑及扶手都伸探出头的叫“官帽椅”，或“四出头官帽椅”（插图4.7）。一种搭脑及扶手不出头而与前后腿弯转相交的叫“南官帽椅”（插图4.8）。这些名称是否都恰当合理还值得商榷，但至少已被匠师使用多年了。

四出头官帽椅在本册中选用了三例（图版44、45、46），用料粗细，弯度大小，装饰有无，各有差异，但都属于比较常见的式样。南官帽椅在本册中选用六例，只有背板浮雕螭纹的一件（图版48）接近基本形式。外形有些像玫瑰椅的矮靠背南官帽椅（图版47），后背接近圈椅的高扶手南官帽椅（图版49），雕牡丹纹的扇面形南官帽椅（图版50），高度几乎只及常式一半的矮南官帽椅（图版52），突破方形结体的六方形南官帽椅（图版53），都是自具特色的制品，有的甚至是绝无仅有的孤例。

“圈椅”（插图4.9）一名，见清代匠作则例④，并为北京匠师所习用。明代或直称之为“圆椅”⑤。“马掌椅”（horseshoe chair）是西方人士给它的名称。它的后背与扶手一顺而下，圆婉柔和，极为美观。就坐时不仅肘部可以倚搁，掖下一段臂膀也得到支承，故甚为舒适。册中黄花梨浮雕圈椅（图版54）可代表它的基本形式。黄花梨透雕麒麟纹靠背圈椅（图版55），装饰精美，为明制佳器。紫檀有束腰带托泥圈椅（图版56），多处透雕，装饰更繁，当是18世纪初的宫廷制品。

交杌加上靠背，便成交椅，有直后背和圆后背两种。直后背交椅的靠背有如灯挂椅，圆后背交椅（插图4.10）的靠背则如圈椅，宋代称之曰“栲栳样”⑥，它们一般都采用金属饰件钉裹交接部位，藉以加强连接并取得装饰效果。册中圆后背交椅两例（图版57、58）形制相似，惟时代有早晚之异。

搭脑
券口牙子
扶手
后腿（上截）
矮老
后腿（下截）
枨子
抹头
前腿（上截）
矮老
座面
大边
罗锅枨
前腿（下截）

4.6 玫瑰椅

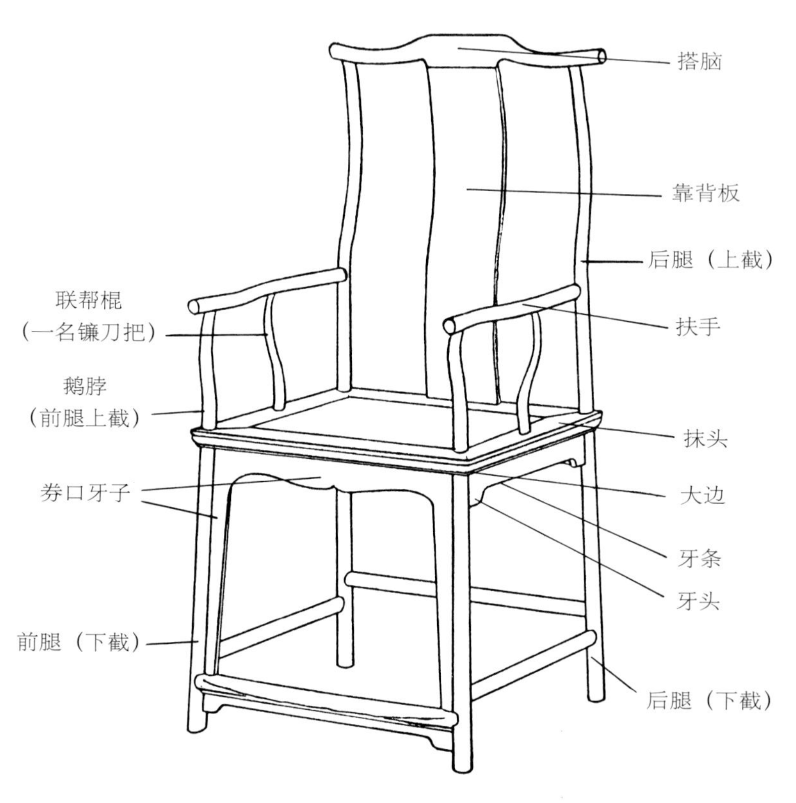

4.7 四出头官帽椅

（6）宝座

宝座是供帝王专用的坐具，在大型椅子的基础上崇饰增华来显示统治者的无上尊贵。故宫藏品中宝座虽多，明代制品目前只能举出雕莲花纹的一件（图版59）。

宝座多有与之相配的脚踏。嵌螺钿的脚踏残件（图版60）是清前期的制品，与宝座久已分离，今收入本册，只能附置于此。

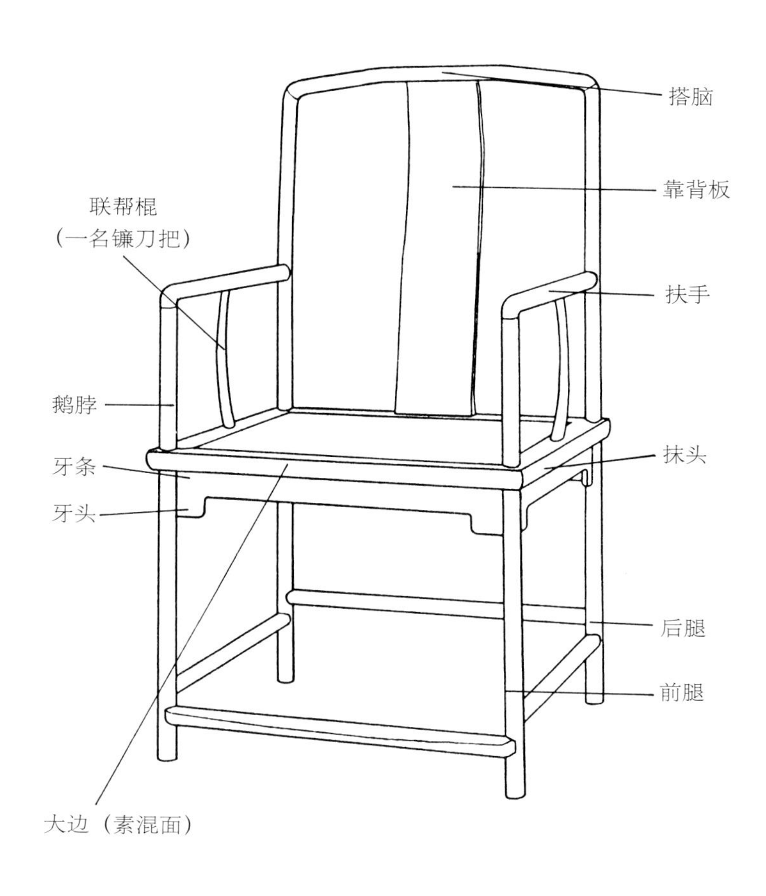

4.8 南官帽椅

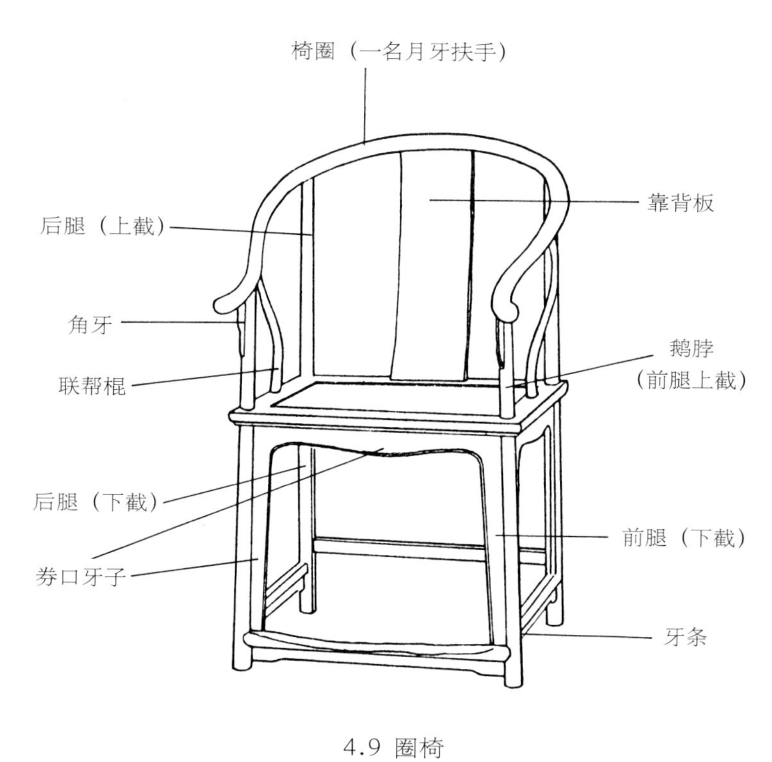

4.9 圈椅

椅圈（一名月牙扶手）
金属饰件
浮雕开光
靠背板
角牙
角牙
软屉
护眼钱
轴钉
踏床
（一名脚踏）

4.10 圆后背交椅

（二） 桌案类

桌案类包括（1）炕桌、炕几、炕案，（2）香几，（3）酒桌、半桌，（4）方桌，（5）条几、条桌、条案，（6）画桌、画案、书桌、书案，（7）其他桌案。

（1）炕桌、炕几、炕案

这是三种在炕上使用的矮形家具。它们的差异是炕桌有一定的宽度，纵、横约为3:2，用时放在炕或床的中间；炕几、炕案较窄，放在炕的两侧端使用。凡由三块板直角相交而成的，或腿足位在四角作桌形结体的叫坑几；凡腿足缩进安装，作案形结体的叫炕案。

炕桌的基本形式，如无束腰直足直枨或罗锅枨，有束腰马蹄足直枨或罗锅枨，均与杌凳的基本形式（图版9、15）相似，故未入选。所收六件，各具特色。其中无束腰一件形状为正方而非长方，且面板装在边框的拦水线下（图版61）。有束腰五件，或牙条镂空（图版62），或用齐牙条（图版63），或为鼓腿彭牙，而四足兜转特多（图版64，插图4.11），或为特殊造型的三弯腿（图版65），或为高束腰式而雕饰极繁（图版66），都是比较罕见的例子。

炕几两例，黑漆一件采用三块厚板直角相交的做法（图版67），紫檀一件属于桌形结体（图版68）。

炕案中的第一例是常见的式样（图版69），在长凳或条案中都可以找到相似实物。有翘头的炕案牙头变化不大，但撇腿的设计使人有新奇感（图版70）。三屉炕案（图版71）形体长大，只有大炕可以摆下，因此，住户之外，更可能是官衙中用具。

（2）香几

香几因承置香炉而得名。一般家具多作方形或长方形，香几则圆多于方，而且腿足弯曲较夸张，这和使用情况有关。香几不论在室内或室外，多居中设置，四无依傍，自应面面宜人观赏，体圆而委婉多姿者较佳。入清以后，香几渐不流行，但随着大量出现的茶几，却是从方形的或长方形的香几繁衍出来的。

圆形香几三例，三足者为常式（图版72，插图4.12）。铁力高束腰五足香几，厚重特甚，当是寺观中物（图版73）。黄花梨五足内卷香几，圆浑柔婉，状如木瓜（图版74）。四足八方，造型巧妙（图版75），设计者都别具匠心。黄花梨高束腰六足香几（图版76），不惜工料以求华美，其造型似受宋元以来漆木家具的影响。

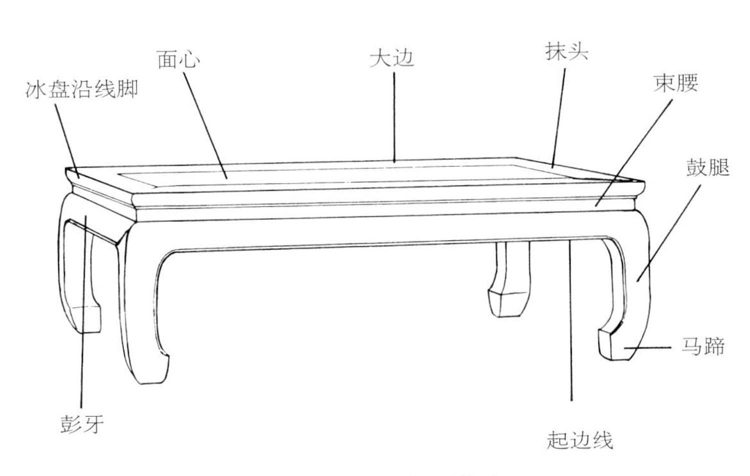

4.11 有束腰鼓腿彭牙炕桌

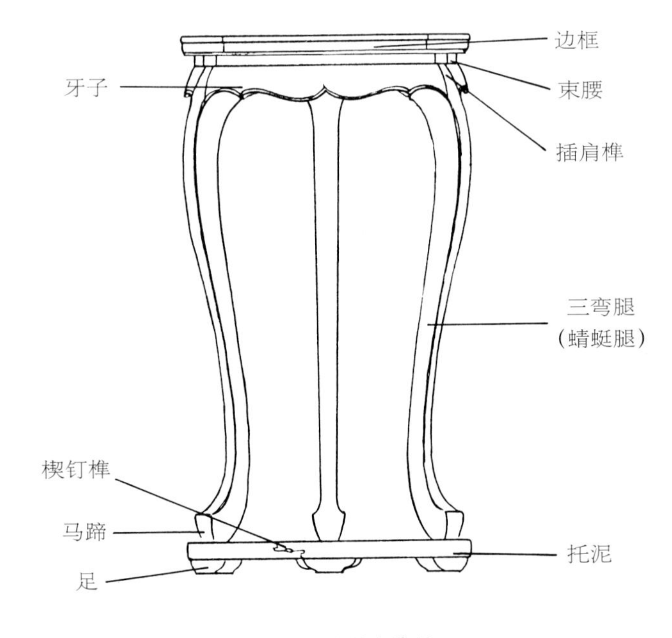

4.12 三足圆香几

(3) 酒桌、半桌

这是两种形制较小的长方形桌案。酒桌远承五代、北宋，常用于酒宴。沿面边缘多起阳线一道，名曰“拦水线”，为了阻挡酒肴倾洒，流沾衣襟而设。应当指出的是，此种家具明明为案形结体，北京匠师却称之曰“桌”，只能说是少有的例外。半桌约相当于半张八仙桌的大小，故名。它又叫“接桌”，每当一张八仙桌不够用时，用它来拼接。半桌、接桌两称，既见于古代文献，亦为北京匠师所习用⑦。本册选用酒桌四例，看到了两种不同的案形结构。前两例（图版77、78）用夹头榫（插图5.6），腿足表面高出牙条和牙头。后两例（图版79、80）用插肩榫（插图4.13、5.7），腿足表面与牙条平齐。案形结体，不论大小，一般离不开上述两种结构。

半桌选用四例，无束腰、有束腰各两件。后两件形式罕见，遍询匠师，不能道出其名称。试为分别拟名曰“斗栱式”（图版83）和“矮桌展腿式”（图版84）。

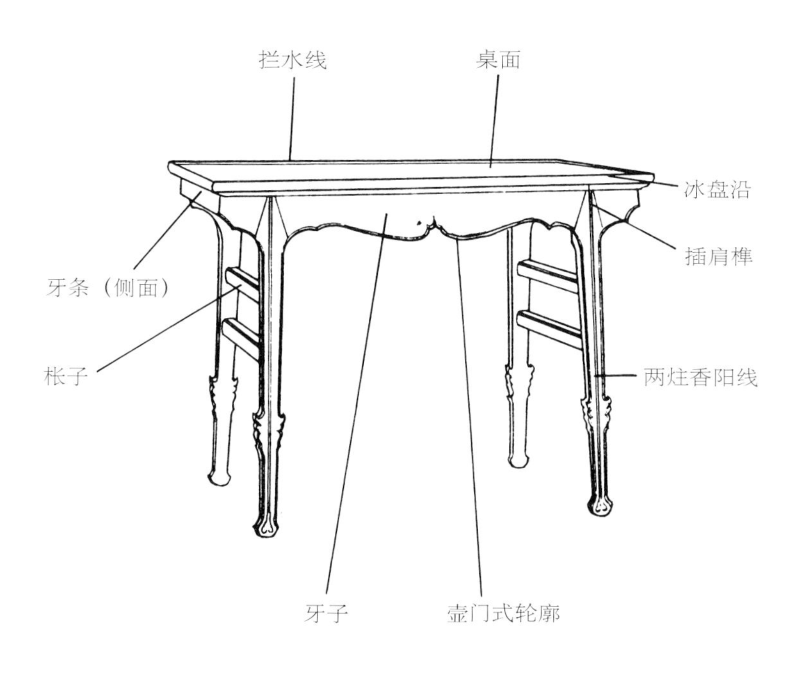

4.13 插肩榫酒桌

(4) 方桌

方桌是传世较多的一种家具，有大、中、小之别，匠师名之曰“八仙”、“六仙”和“四仙”。本册选用束腰方桌五例，其中罗锅枨加卡子花（图版85）最接近基本形式。“一腿三牙罗锅枨”是一种标准的明代式样（插图4.14），因每一条腿与三块牙子相交，下又有罗锅枨而得名。有三件（图版86、87、88）虽属同式，繁简不同，形态亦异。方桌用攒接法做牙子，也不失为一种常见的式样（图版89），在条桌、画桌上都可以找到同样的做法。有束腰方桌两件（图版90、91）则都是比较罕见的实例。

(5) 条几、条桌、条案

这三个品种都是窄而长的家具。它们大小不等，但长度接近一丈或更长的只有条案（图版104）一种。这是因为案形结体的腿足缩进安装，即使案面长达一丈几尺，腿足之间的跨度仍不过丈许。条几、条桌因腿足位在面板尽端，如长逾一丈，支点之间的跨度太大，面板便会弯垂，产生所谓“塌腰”之弊。

条几的结构仍以三块板直角相交为常式（图版92，插图4.15）。

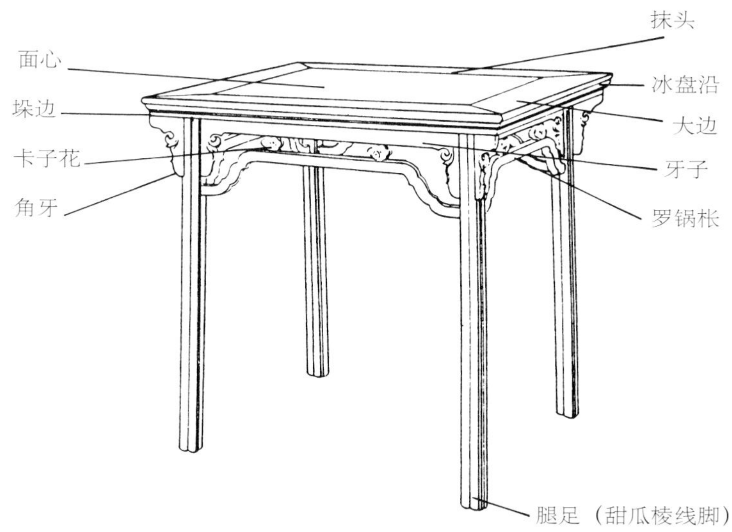

4.14 一腿三牙罗锅枨加卡子花方桌

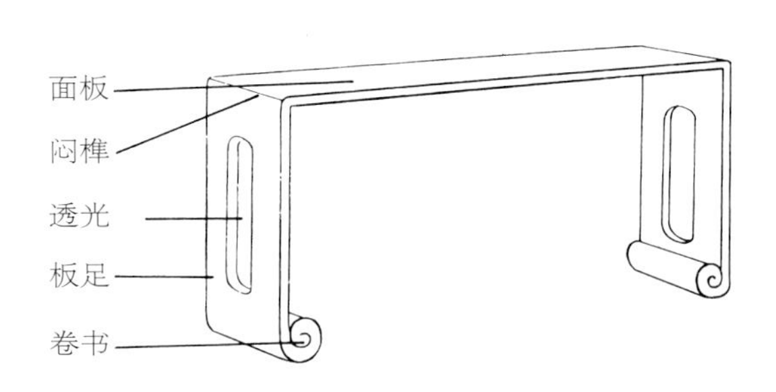

4.15 板足开光条几

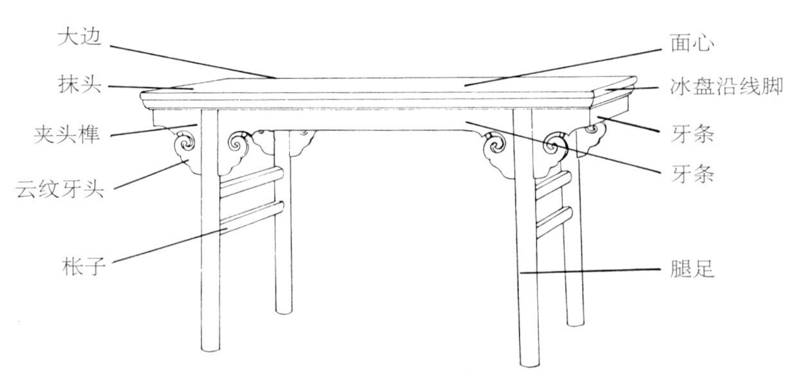

4.16 夹头榫画案

条桌无束腰选五例，罗锅枨加矮老一件纯属基本形式（图版93）。有的造型如无束腰杌凳，只牙头上稍加装饰（图版94）。有的化实为虚，乃从一腿三牙变出（图版96）。四面平式带翘头和暗抽屉并加霸王枨的条桌则是十分罕见的例子（图版97）。高束腰一件，牙条剜出壸门式轮廓，腿足挖缺做，较多地保留了壸门床的痕迹（图版99）。

条案的形式按照北京匠师的分法是案面两端平齐的叫“平头案”，两端高起的叫“翘头案”。它们的结构不是用夹头榫，就是用插肩榫，否则便是变体。

夹头榫条案式样较多，归纳起来可分为：1.四足着地而足间无管脚枨；2.四足着地而足间有管脚枨；3.四足不着地而下安托子。管脚枨和托子之上，常安圈口或挡板，又各有许多不同的做法。插肩榫条案做法比较单纯，多为四脚着地而无管脚枨和托子，只是腿足的轮廓和花纹有不少的变化。

册中选用了夹头榫条案五例，无翘头（图版102、104）,有翘头（图版100、103），四足着地（图版100），有管脚枨（图版104），足下有托子（图版102、103）等，式式具备。小平头案下有屉板（图版101），貌似夹头榫而实际上是在牙子上留榫或栽榫来和腿足接合（图版 105、106），都只能算是条案的变体。

插肩榫条案只收一例，属于独板面有翘头的做法（图版107）。

（6）画桌、画案、书桌、书案

这是四种比较宽而大的长方形家具，就是小的，也大于半桌。它们的结构、造型，往往与条桌、条案全同，只是在宽度上要增加不少。因为桌案窄了，挥毫书画，摊卷阅读，均不适用，就不得称之为画桌或书案了。对此四者的区别，北京匠师均有明确的概念。画桌、画案，为了便于站起来书画，都不应有抽屉，其为桌形结体的曰画桌，案形结体的曰画案。书桌、书案则都有抽屉，也依其结体的不同，分别称之为桌或案。

在无束腰画桌中，罗锅枨加矮老仍为基本形式，但紫檀制的一件省略掉矮老而加大了罗锅枨，却使人有超凡脱俗之感（图版108）。螭纹画桌雕饰虽繁，实为四面平式（图版109）。有束腰灵芝纹画桌（图版110），参用了几形结体，全身浮雕圆润，多年来一直被认为是孤例。

册中画案五例，夹头榫结构占了四例。除云纹牙头一件（图版111）为常见式样外（插图4.16），另有牙头雕两凤相背的一件，甚见神彩（图版112）。有的则用挡板的空间做出别具匠心的设计（图版113）。稍大于半桌而安有高拱罗锅枨的一件（图版114），颇饶古趣，是画案中的最小者。插肩榫结构仅一例（图版115），如积木似的可装可卸，否则形体太大，无法搬动，是紫檀家具中的重器。

明式桌案，既有抽屉，又有相当宽度的实物甚少，只收架几式书案一件（图版116），其形制等于一件加宽了的架几案。

属于其他类的桌案品种尚多，如月牙桌、扇面桌。棋桌、琴桌、抽屉桌、供桌、供案等。但传世实物均不多，册中只收了抽屉桌（图版117）、琴桌（图版118）、供桌（图版119）各一例。

（三） 床榻类

床榻类包括 (1) 榻， (2) 罗汉床， (3) 架子床。

（1）榻

北京匠师称只有床身，上无任何装置的曰“榻”。所收两件均为有束腰式（图版120、121），六足可折叠的一件是很罕见的变体。

（2）罗汉床

床上后背及左右两侧安装“围子”的，北京匠师称之曰“罗汉床”（插图4.17）。此称在南方未闻道及，亦未在文献中查到。石栏杆中有“罗汉栏板”一种，北京园林多用此式，石桥上尤其常见；其特点是栏板一一相接，中间不设望柱。罗汉床围子之间也无立柱，和架子床不同。可能罗汉床之名来源于罗汉栏板。

罗汉床身有多种做法，也有无束腰与有束腰之分。其做法不仅与榻相同，和炕桌、杌凳亦复相通。罗汉床更显著的变化表现在围子上。床上三面各有一块围子的为“三屏风式”，由五块组成的（后三，左右各一）为“五屏风式”，更多的还有“七屏风式”（后三，左右各二）。围子本身的做法有独板围子（图版122），攒边装板围子（图版123），攒接围子（图版124），斗簇围子等。

册中罗汉床四件，只缺少斗簇围子实例。不过只须参看四簇云纹方角柜柜门（图版146）及衣架中牌子残件（图版167），便不难得知其装饰效果。床身无束腰，下有管脚枨，围子用短材连结绦环板（图版125）是罗汉床中十分罕见的做法。

（3）架子床

架子床是有柱有床顶的统称，进一步细分，还可以区分为只在四角有立柱的“四柱床”，和四柱之外正面还有两柱的“六柱床”。两柱乃为安装门围子而设，故又叫“带门围子架子床”（插图4.18）。形制更大，床下有“地平”，床前设浅廊，宛如一间小屋的叫“拔步床”。册中实例只有六柱床一件（图版126）及属于变体并十分繁复的月洞式门罩大架子床（图版128）一件。

明式床前多设脚踏，罗汉床前的短而成对，架子床和拔步床前的脚踏独一而修长。尔后传世既久，脚踏大都已与床分散。册中选用脚踏一例（图版129），只能将它附在床榻类之末。

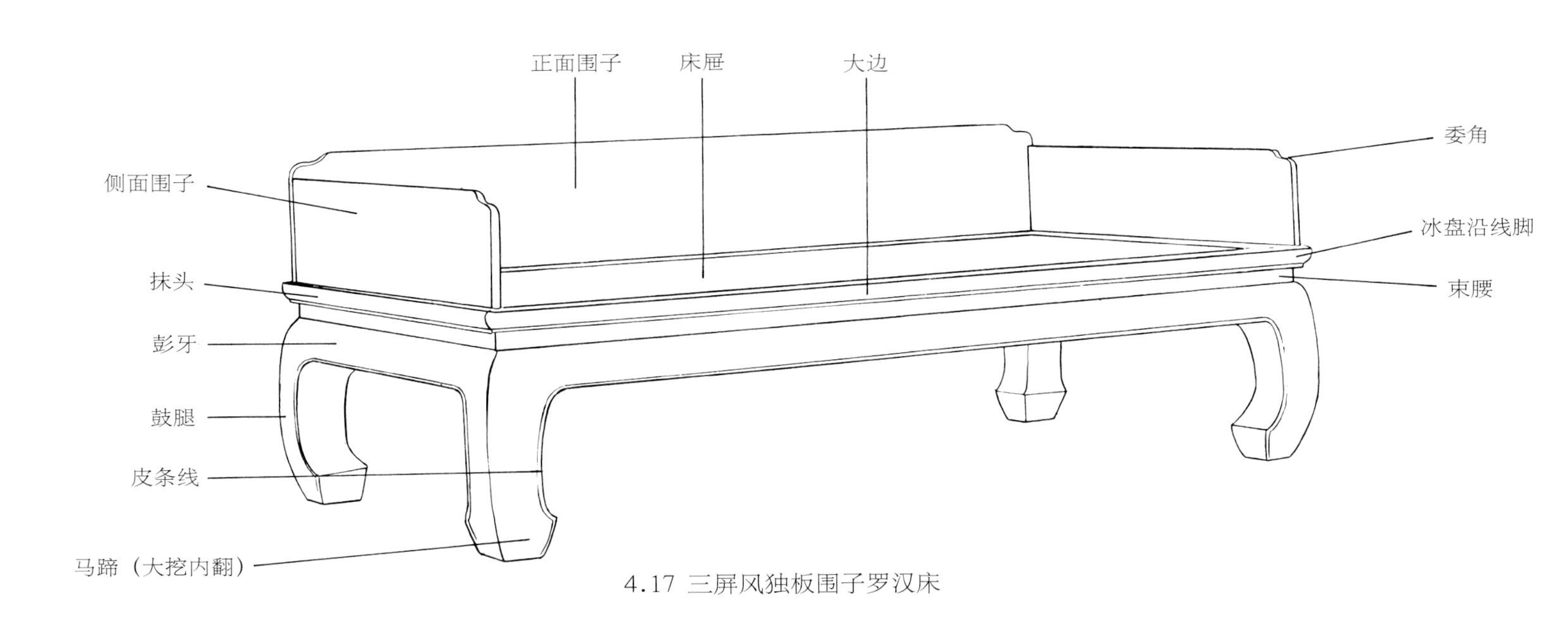

4.17 三屏风独板围子罗汉床

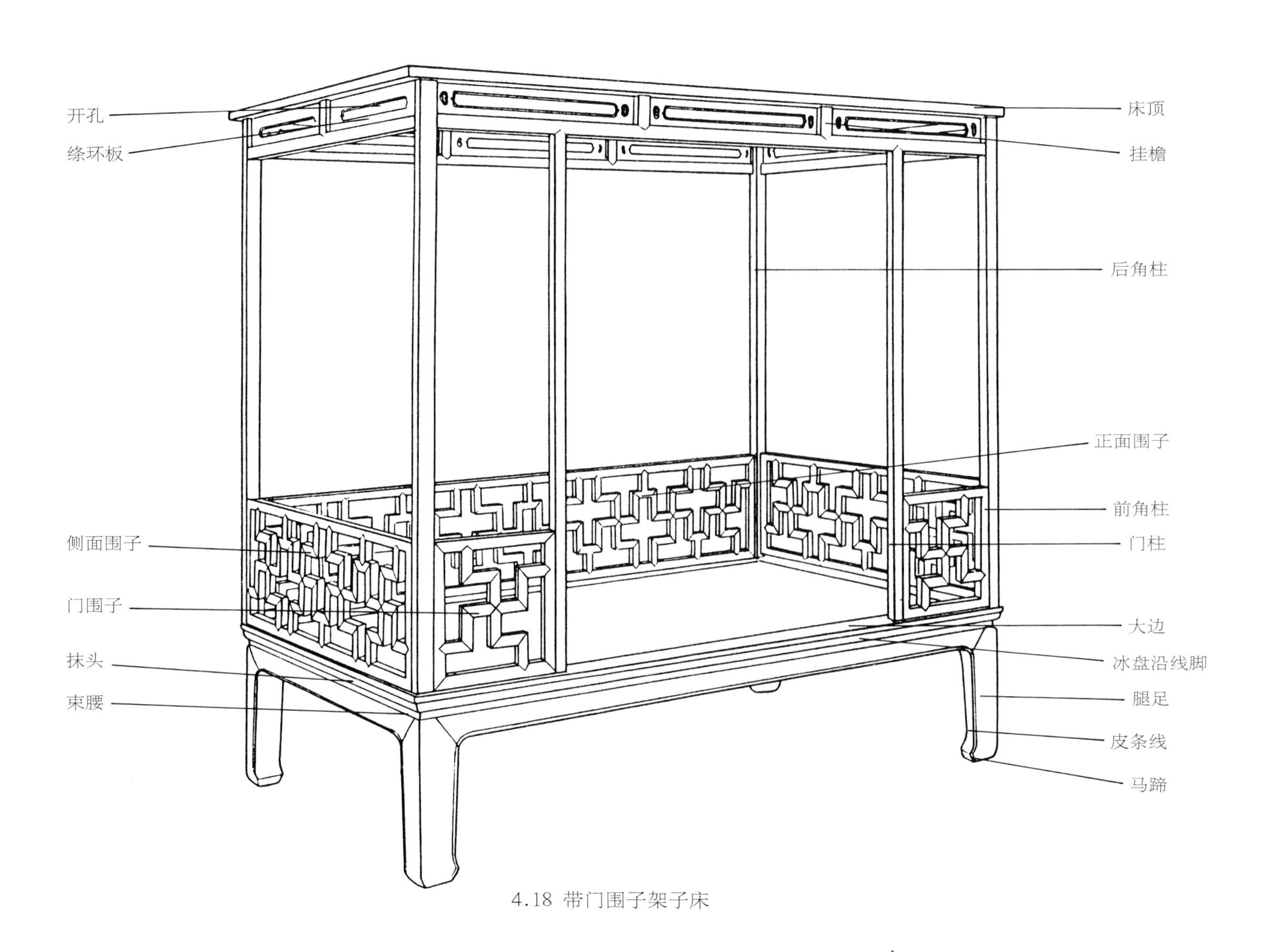

4.18 带门围子架子床

(四)柜架类

柜架类包括：(1) 架格，(2) 亮格柜，(3) 圆角柜，(4) 方角柜。

(1) 架格

架格或称“书格”或“书架”。惟其用途不一定专放图书，故不如称之曰架格。

架格的最基本形式是以立木为四足，用横板将空间分隔成若干层。三层的一件四面空敞，中间设抽屉两个，图版130即属于此类。为了增添装饰，常见的做法是在每层的后、左、右三面设栏杆似的装置（图版131）。也有不设栏杆，后背装板，或任其空敞，而在左右或左右前三面安券口或圈口（插图4.19）。册中无此实例，但可参阅万历柜上层亮格的做法（图版136、137）。有的架格在后背安装透棂（图版132），或三面安装透棂（图版133）。如四面安装透棂，或后背装板，三面安装透棂，北京有一个通俗名称叫“气死猫”，是民间使用的通风食橱，最简易的用柴木制成，素白不施油饰。也有极为考究的用紫檀制成（图版135），其用途当然是为了放置珍贵的图书或文玩了。

(2) 亮格柜

亮格柜是亮格和柜子相结合的家具，明式的亮格都在上，柜子在下，兼备陈置与收藏两种功能。

亮格柜中有一种固定形式——上为亮格，中为柜子，下为矮几，有专称叫“万历柜”。此种形式究竟与万历朝代有何联系，查无确据，只能随着北京匠师如此称呼而已。册中选用两例（图版136、137），从雕饰来看，繁简的差别很大。上有双层亮格、其下为柜的（图版138），当从万历柜（见图版136、137）变出，但空间有限，反不及单层亮格便于陈置，故传世实物不多。

(3) 圆角柜

圆角柜，又名“面条柜”，其义费解。

圆角柜柜顶前、左、右三面有小檐喷出，名曰“柜帽”。柜帽转角处多削去方棱，遂成圆角。柜帽之设，是为了在上面凿眼做臼窝，以便容纳向上伸出的柜门门轴。故圆角柜亦不妨称之为“木轴门柜”。它的侧脚显著，造型挺拔，和无束腰家具摆在一起，显得格外调和。

圆角柜小的高约二尺，是炕上用具，也叫“炕柜”（图版139）。大的高如一般的架格（插图4.20），特大的少见。

圆角柜有的两扇门之间无闩杆，名曰“硬挤门”。有的有闩杆（图版139、141、142、143），加锁时可把两扇门与闩杆锁在一起。其中较小的圆角柜（图版139、141）柜门下缘与柜底平齐，不设柜膛。有柜膛的则将它设在门扇以下、底枨以上一段空间（图版142、143），可以增加柜的容量。柜门装板也有不同做法，或用通长的薄板，或分段装成，据抹头的根数来定名。如门板分四段，共用五根抹头，名曰“五抹门”（图版143）。

(4) 方角柜

方角柜四角见方，上下同大，腿足垂直无侧脚。柜门同样有硬挤门（图版146）或有闩杆两种做法。其上无顶箱的古称“一封书式”。言其貌似有函套的线装书（图版145、147）。上有顶箱的叫“顶箱立柜”，又叫“四件柜”（插图4.21），因按成对计算，两具乃由四件组成。四件柜大小相去悬殊。小的也可放在炕上使用（图版148），大的高达三四米，置之高堂，或上与梁齐。

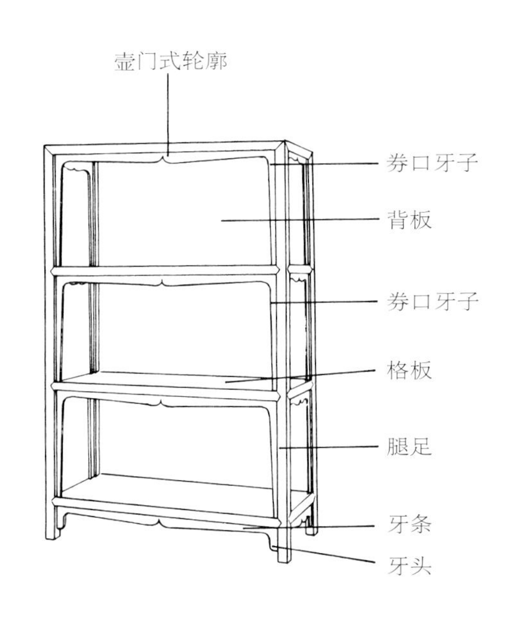

4.19 三层架格

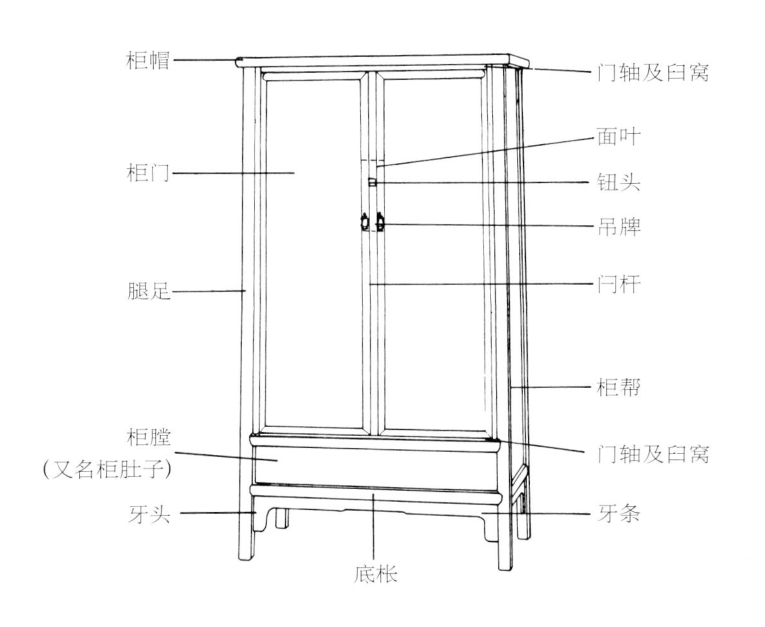

4.20 圆角柜

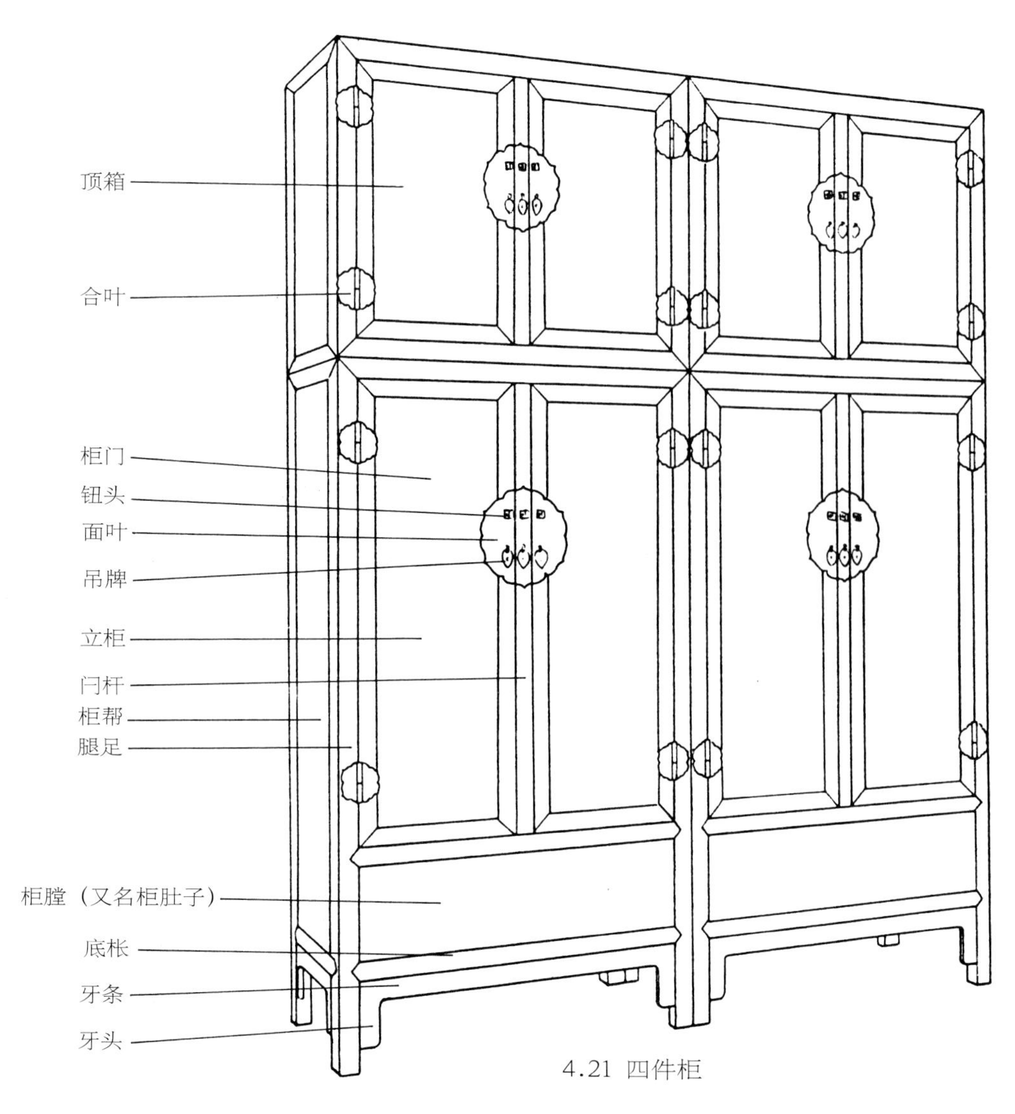

4.21 四件柜

（五）其他类

凡不宜归入以上四大类的家具只能放在其他类，故品种颇繁，其中大多数已收入本册，包括（1）屏风，（2）闷户橱，（3）箱，（4）提盒，（5）都承盘，（6）镜台、官皮箱，（7）衣架，（8）面盆架，（9）滚凳，（10）甘蔗床，（11）微形家具。

（1）屏风

屏风是屏具的总称，包括由多扇组成，可以折叠或向前兜转的“围屏”和下有底座的“座屏风”。另有一种小屏风（插图4.22），上承宋代流行的“枕屏”和“砚屏”。到了明清时期，它已成为厅堂几案上的陈设品了。

传世围屏大量用《髹饰录》所谓的“款彩”⑧方法制成，即漆地上阴刻花纹，填色彩，西方称之为Coromandal Lacquer⑨。传世围屏中，尚未发现清中期以前制作精美的硬木实例。

座屏风有独扇、三扇、五扇等不同规格。它不是一般家庭所有，明代实物有待在寺庙中发现。独扇座屏风有的下与底座相连，有的可装可卸，故又名“插屏式座屏风”。故宫博物院藏品虽多，但具有明代风格的仅见透雕螭纹的一对（图版150）。乾隆以后由于穿衣镜的盛行，独扇的座屏风多被取代。

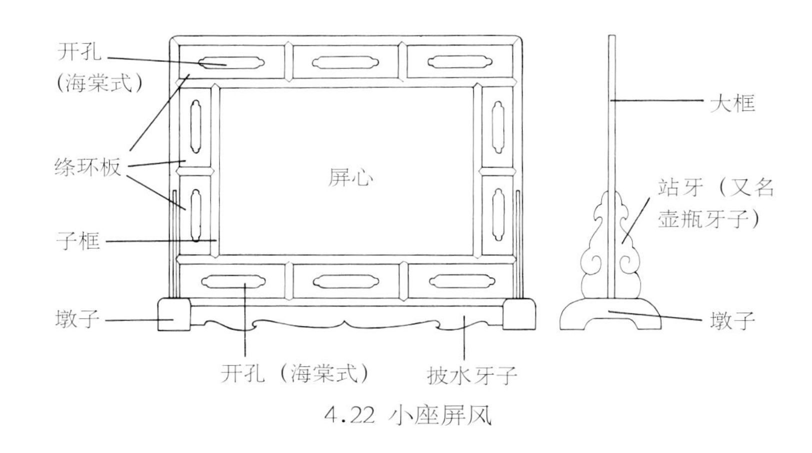

4.22 小座屏风

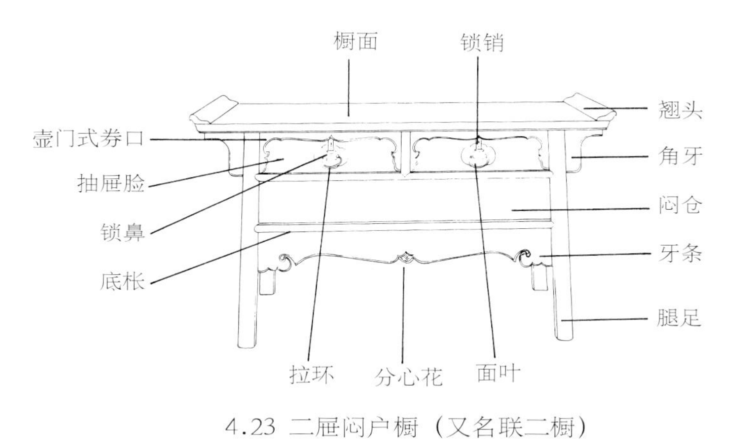

4.23 二屉闷户橱(又名联二橱)

小型座屏风选用两例(图版151、152),前者屏扇与底座相连,后者乃是插屏式。

(2) 闷户橱

闷户橱由于抽屉下设有“闷仓”而得名,它兼备承置与储藏两种功能。北京匠师将闷户橱更多地用来作为此种家具的总称,包括一个抽屉的、两个抽屉的和三个抽屉的。但因两个抽屉的又叫“联二橱”,三个抽屉的又叫“联三橱”,所以闷户橱更多地用作一个抽屉的名称。闷户橱还有别称,一个抽屉的面宽有限,往往放在一对四件柜之间,可以占满一间卧室的墙面,故又叫“柜塞”;又因嫁女之家多用红头绳将各种器物系扎在闷户橱之上作为嫁妆,故又叫“嫁底”。从上述名称可知它是民间日常用具,摆在内室存放细软之物(插图4.23)。册中收闷户橱四件(图版153、154、155、156),一屉、二屉、三屉及光素与雕饰等不同做法都可以从这些实例中看到。

(3) 箱

明代辞书《正字通》给“箱”下的定义是:“凡可藏物有底盖者皆曰箱”。又据《鲁班经匠家镜》,由多层抽屉组成,中可贮放药品的叫“药箱”⑩。故明式箱具品种颇多,这里只收了小箱(图版157)和药箱(图版158、159)两种。小箱用以放金银细软或簿册。

药箱两例,抽屉前均设门,比《鲁班经匠家镜》所讲的制作较繁。这是因为《鲁班经匠家镜》只记录一般民间家具做法,和硬木制的自有高下精粗之别。

(4) 提盒

提盒是带提梁分层的长方形箱盒,有大、中、小三种。大的须两人穿杠抬行,中的可以一人肩挑两件,《鲁班经匠家镜》分别名之曰“大方扛箱”和“食格”⑪。小的一手便可提挈,北京匠师称之曰“提盒”(图版160)。明屠隆《游具笺》也讲到提盒⑫,出于文人设计,故与店肆常备的不尽相同,但实为同一种器物。

(5) 都承盘

“都承盘”或写作“都丞盘”、“都盛盘”或“都珍盘”,均寓一盘而承置多种物品之意,是文人陈放文房用品及小件文玩的用具(图版161)。此种盘具,清盛于明,乾隆以后的形制雕刻日趋繁琐。

(6) 镜台、官皮箱

明及清前期的镜台主要有三种形式:一折叠式(图版162),俗称拍子式,是从宋代流行的镜架演变出来的。宋代镜架如《靓妆仕女图》⑬所见。二宝座式(图版163),是在宋代扶手椅式镜台的基础上增加抽屉而成的。扶手椅式镜台见宋画《半闲秋兴图》⑭。三五屏风式(图版164),把座屏风搬到镜台上来。在上述三式中可能是较晚流行的一种,传世实物亦较多,《鲁班经匠家镜》中有图样。

有一种平盘与抽屉相结合的家具通称“官皮箱”(图版165),往往使人望文生义,以为是官衙中用具,但又说不出其具体用途。今据众多的传世实物,可信是家庭常用之具,雕刻以喜庆吉祥图案为主,不似官衙中

4.24a 常州南宋墓出土镜箱（缺箱盖）

4.24b 常州南宋墓出土镜箱（镜架支起情况，缺箱盖）

物，构造有盘及抽屉，正好放镜子及梳妆用具。尤其是看到常州南宋墓出土的镜箱（插图4.24），彷佛见其前身，对照《鲁班经匠家镜》讲到的镜箱，更使人相信官皮箱即镜箱，是和镜台功能相同的用具。

（7）衣架

衣架是用来披搭衣衫的架子，多放在室内床榻的一侧。《鲁班经匠家镜》讲到有素衣架和雕花衣架两种⑮，证以明墓出土明器和传世实物，制作简易的和细琢精雕的确实相去悬殊，面貌大异。册中两例（图版166、167）都镂刻极精，堪称明代的代表作。

（8）面盆架

面盆架有高、矮两种。矮面盆架或三足，或四足，或六足。四足、六足的（图版168）往往可以折叠。

高面盆架多为六足（插图4.25），四足的少见，一般不能折叠，所选三例代表三种不同的装饰手法（图版169、170、171）。

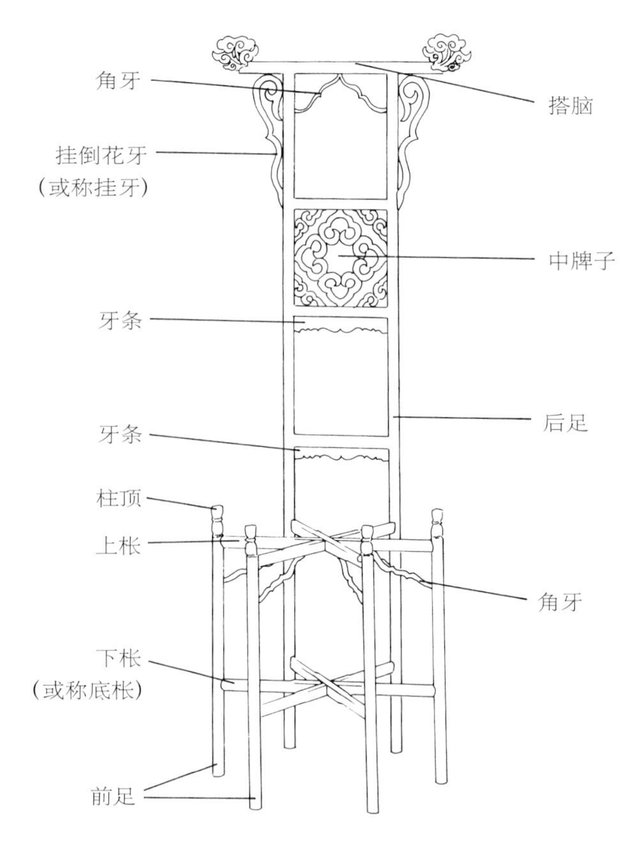

4.25 高面盆架

（9）滚凳

滚凳虽同脚踏，实是一种医疗用具。明高濂《遵生八笺》讲到："今置木凳，长二尺，阔六寸，高如常，四桯镶成，中分一档二空，中车圆木二根，两头留轴转动，凳中凿窍活装，以脚踹轴，滚动往来，脚底令涌泉穴受擦，终日为之便甚"⑯，即是此物（图版172）。据明代版画⑰，它可放在桌下椅前使用，而与床具配套的脚踏有所不同。

（10）甘蔗床

用以榨甘蔗汁供饮用的一种小型家具（图版173），多流行于南方。

（11）微形家具

因形制特小，而格局气度彷佛是大形家具，故为辟此一类。紫檀翘头案（图版175）是供人赏玩的案头陈设。小凳（图版174）除观赏外，还可上加棉垫，带系四足，用以作枕，故有“枕凳”之名。医师或用以支垫患者手腕，听诊脉象。

注　释

① 宋陈彭年重修《玉篇》卷12，《木部》第一五七，道光三十年邓氏仿宋刊本。
② 见《波士顿美术馆藏支那画帖》图版47，哈佛大学出版社1938年影印本。
③ 上海市文物保管委员会《上海市卢湾区明潘氏墓发掘报告》，《考古》1961年8期，页425—434。
④ 清保亮著《工部续增做法则例》卷81，页7，嘉庆二十四年刊本。
⑤ 明王思义《三才图会·器用》卷12，页14，明刊本。
⑥ 宋张端义《贵耳集》卷下，页64：“今之校椅，古之胡床也，自来只有栲栳样。”见《丛书集成初编·文学类》，商务印书馆1935—1937年版。
⑦ “半桌”一称，见《工部续增做法则例》卷81，页1。“接桌”一称，见明何士晋汇辑《工部厂库须知》，卷11，页13。见《玄览堂丛书续编》，1947年影印本。
⑧ 请参阅拙作《髹饰录解说》页135，第129条，文物出版社1983年版。
⑨ Coromandel为印度东南一带海岸名称，可能明清之际外销款彩屏风运到这一带上岸转口，因而得名。
⑩⑪⑮请参阅拙作《鲁班经匠家镜家具条款初释》，《故宫博物院院刊》，1980年3期，页55—65；1981年1期，页74—89。
⑫ 明屠隆《游具笺》，页3，见《美术丛书》2集第9辑3册，上海神州国光社1936年版。
⑬ 同②图版74。
⑭ 见《天籁阁藏宋人画册》第11开，民国影印本。
⑮ 明高濂《遵生八笺·起居安乐笺》，清刊巾箱本。
⑯ 明高濂《遵生八笺》卷8，页15—16，《起居安乐笺》，清刊巾箱本。
⑰ 见本书图版说明172插图。

五　精密巧妙的榫卯结构

传统家具的榫卯结构也是到明代而达到了高峰，并延续到清前期。成果的取得来自精湛的宋代小木工艺，而入明以后，对于硬木操作又积累了经验。性坚质细的硬木，使匠师们能把复杂而巧妙的榫卯按照他们的意图制造出来。构件之间，金属钉子完全不用，鳔胶粘合也只是一种辅佐手段，全凭榫卯就可以做到上下左右，粗细斜直，连接合理，面面俱到。其工艺之精确，扣合之严密，间不容发，使人有天衣无缝之感。古代匠师在这方面的创造，不仅值得我们研习继承，而对其他国家的家具制造也必然产生影响。

系统而详细地阐述榫卯结构，需要更专门的论著，这里只介绍有代表性的榫卯数例，希望对读者了解图册中的实物能有所裨益。

（一）龙凤榫加穿带（插图5.1）

当一块薄板不够宽，需要两块或更多块薄板拼起来才够宽时，就要用“龙凤榫加穿带”。如图所示，先把薄板的一个长边刨出断面为半个银锭形的长榫，再把与它相邻的那块薄板的长边开出下大上小的槽口，用推插

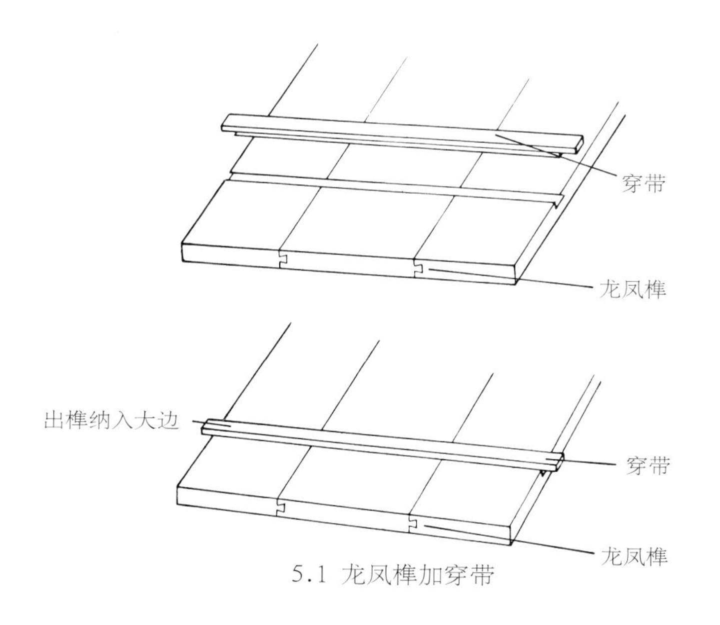

5.1 龙凤榫加穿带

的办法把两块板拼拢，所用的榫卯叫“龙凤榫”。这样可以加大榫卯的胶合面，防止拼缝上下翘错，并不使拼板从横的方向拉开。

薄板依上法一一拼完，用胶粘牢后，横贯背面，开一下大上小的槽口，名叫“带口”；穿嵌一面做一梯形长榫的木条，名叫“穿带”。带口及穿带的梯形长榫都一端稍窄，一端稍宽。长榫由宽处推向窄处，这样才能穿紧。穿带两端出头，留做榫子。穿带根数视拼板的长度而定，一般每隔40厘米穿一根。

最后在拼板的四周刨出榫舌，名叫“边簧”，以便装入木框里口的槽口内。

（二）攒边打槽装板（插图5.2）

上述用“龙凤榫加穿带”拼成的木板是为了装入攒边的木框而准备的。

木框四根，两根长而出榫的叫“大边”，两根短而凿眼的叫“抹头”。在木框的里口打好槽，以便容纳木板的边簧。穿带出头部分则插入大边上的卯眼内。把木板装入木框的做法叫“攒边打槽装板”。

把薄板装入木框，使薄板能当厚板使用，同时能把色暗无纹的木材断面完全隐藏起来，外露的都是美丽的木纹，所以是一种合理、美观而又节省的做法。传统家具的桌案面，柜门、柜帮、柜背等大都用此方法做成。

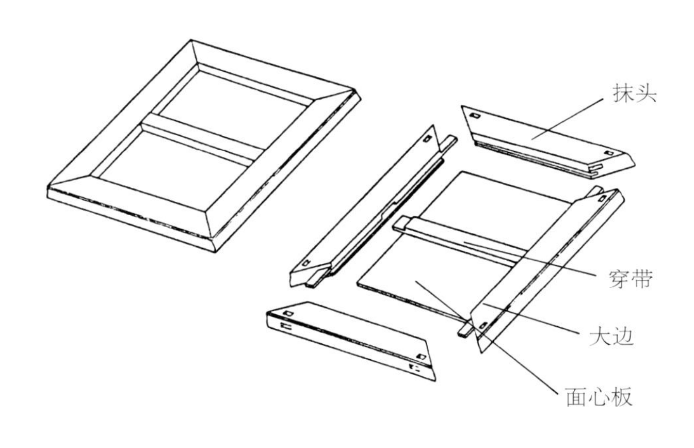

5.2 攒边打槽装板

（三）楔钉榫（插图5.3a、b）

楔钉榫是用来连接弧形弯材的一种十分巧妙的榫卯，圈椅（图版54、55、56）的扶手，部分圆形桌、几的面和托泥用此法做成。

楔钉榫基本上是两片榫头合掌式的交搭，但两片榫头之端又各出小舌，小舌入槽后便使两片榫头紧贴在一起，管住它们不能向上或向下移动。此后更在搭口中部剔凿方孔，将一枚断面为方形的、头粗而尾细的楔钉贯穿过去，使两片榫头在向左和向右的方向上也不能拉开，于是两根弧形弯材便严密地接成一体了。

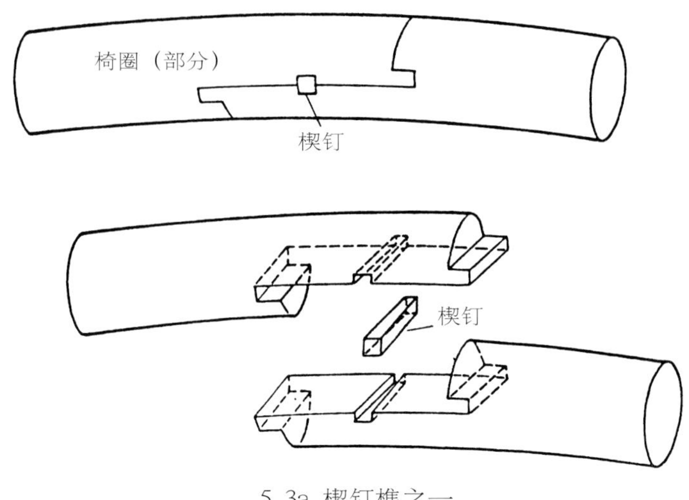

5.3a 楔钉榫之一

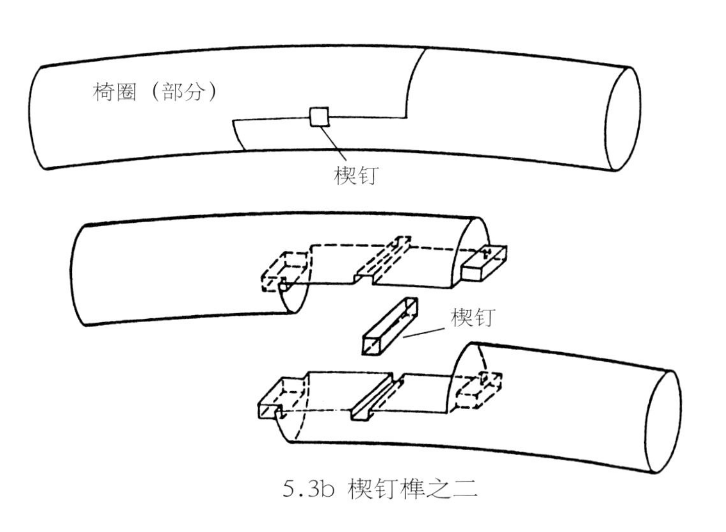

5.3b 楔钉榫之二

（四）抱肩榫（插图5.4）

抱肩榫是有束腰家具的腿足与束腰、牙条相结合时使用的榫卯。

以有束腰的方桌（图版90）为例，腿足在束腰的部位以下，切出45°斜肩，并凿三角形榫眼，以便与牙条的45°斜尖及三角形的榫舌拍合。斜尖上还留做上小下大、断面为半个银锭形的“挂销”，与开在牙条背面的槽口套挂。明及清前期的有束腰家具，牙条多与束腰一木连做，有此挂销，可使束腰及牙条结结实实、服服帖帖地和腿足结合在一起。到清中期以后，也还是抱肩榫，挂销省略不做了，牙条和束腰也改为两木分做，比明及清前期的做法差多了。到清晚期，不仅没有挂销，连牙条上的榫舌也没有了，只靠用胶粘合，抬桌子时往往会把牙条掰下来，真是每下愈况了。

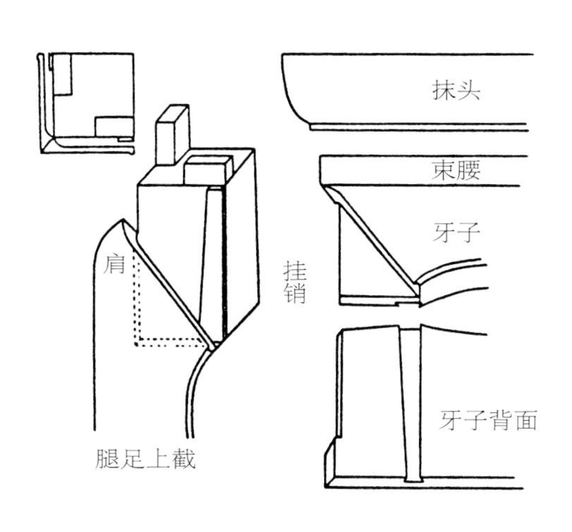

5.4 抱肩榫

（五）霸王枨（插图5.5）

前代工匠曾这样设想，桌子四足之间不用构件连接，而设法把腿足与桌面连接起来，这样不会有枨子碍腿而能将桌面的承重直接分递到腿足上来。“霸王枨”正是为实现此种设想而创造出来的。

霸王枨的上端托着桌面的穿带，用销钉固定，下端交代在腿足中部靠上的地位。战国时已经在棺椁铜环上使用的“勾挂垫榫”①，用到这里来真是再理想也没有了。枨子下端的榫头向上勾，并且作成半个银锭形。腿足上的榫眼下大上小而且向下扣。榫头从榫眼下部口大处插入，向上一推，便勾挂住了。下面的空隙再垫塞木楔，枨子就被关住，拔不出来了。想要拔出来也不难，只须将木楔取出，枨子打下来，榫头落回到原来入口处，自然就可以拔出来了。枨名“霸王”，寓有举臂擎天之意，用来形容远远探出、孔武有力的枨子倒是颇为形象的。

册中有不少桌子（图版84、97、98、108、119）使用了霸王枨，就是方凳（图版18）也可以使用。

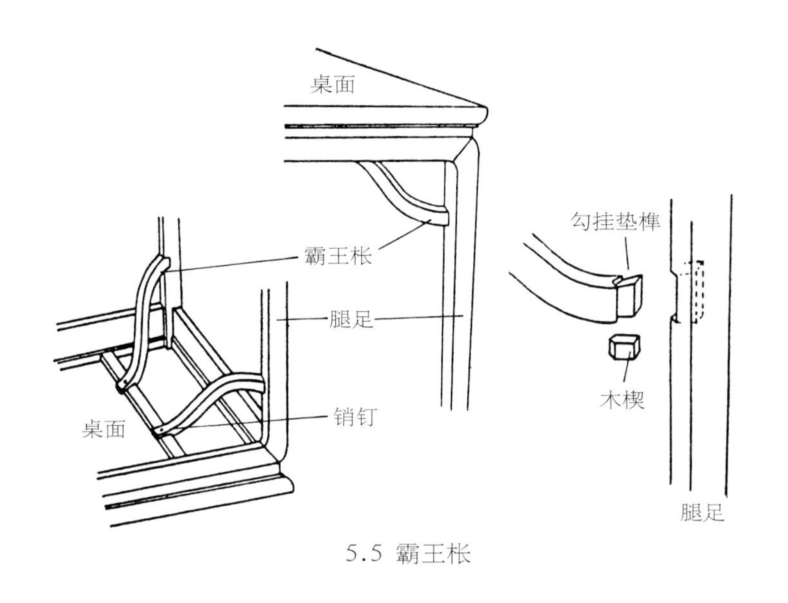

5.5 霸王枨

（六）夹头榫（插图5.6）

夹头榫是案形结体家具最常用的榫卯结构。四足在顶端出榫，与案面底面的卯眼结合。腿足上端开口，嵌夹牙条及牙头，故其外观腿足高出在牙条及牙头之上。此种结构，四足把牙条夹住，连接成方框，上承案面，使案面和腿足的角度不易变动，并能很好地把案面的重量分布传递到四足上来。册中的条案、画案（图版100、101、102、103、104、111、112、113、114）、酒桌（图版77、78）、条凳（图版33），都采用此种榫卯结构。

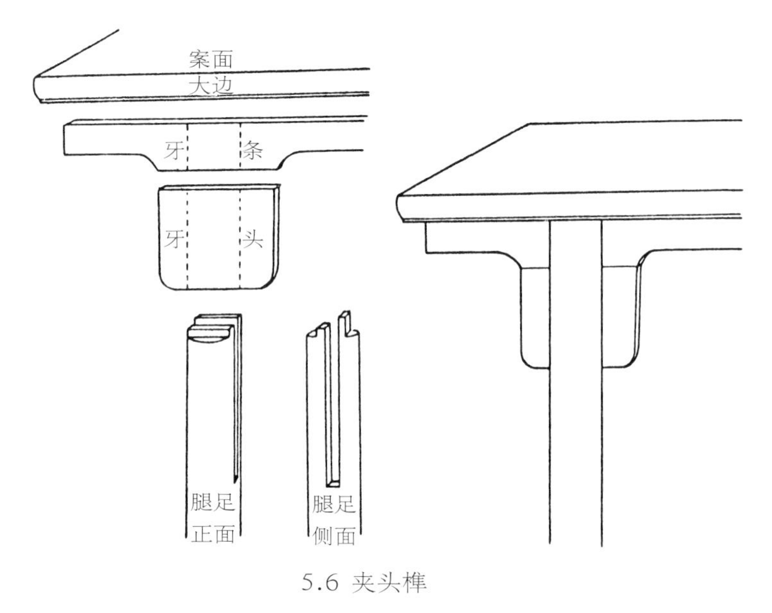

5.6 夹头榫

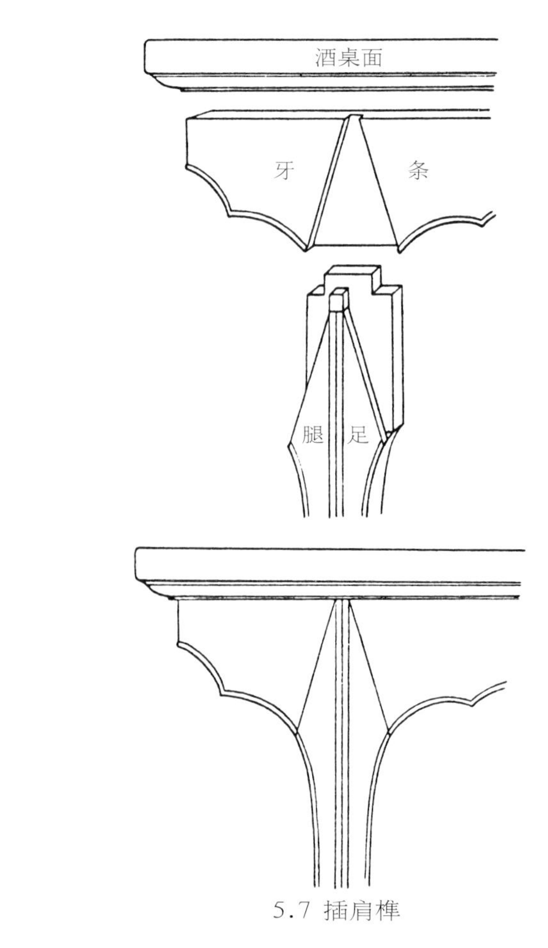

5.7 插肩榫

（七）插肩榫（插图5.7）

插肩榫也是案形结体使用的榫卯，外观和夹头榫不同，但在结构上差别不大。它的腿足也顶端出榫，和案面接合，上端也开口，嵌夹牙条。但腿足上端外皮削出斜肩，牙条与腿足相交处刬出槽口，当牙条与腿足拍合时，又将腿足的斜肩嵌夹起来，形成平齐的表面，故与夹头榫不同。插肩榫的牙条在受重下压时，可与腿足的斜肩咬合得更紧，这也是和夹头榫有所不同的地方。

册中的酒桌（图版79、80）、条案（图版107）、画案（图版115）都采用了插肩榫结构。

（八）走马销（插图5.8）

走马销是“栽销”的一种，就是另外用木块做成榫头栽到构件上去，而不是就构件本身做成榫头。它一般安在可装可卸的两个构件之间。其做法是榫销下大上小，榫眼的开口是半边大、半边小。榫销从榫眼开口大的半边插入，推向开口小的半边，就扣紧销牢了。如要拆卸，还须退回到开口大的半边才能拔出。它和霸王枨有相似处，只是不垫塞木楔而已。

罗汉床（图版122、123、124）围子与围子之间及侧面围子与床身之间，多用走马销。

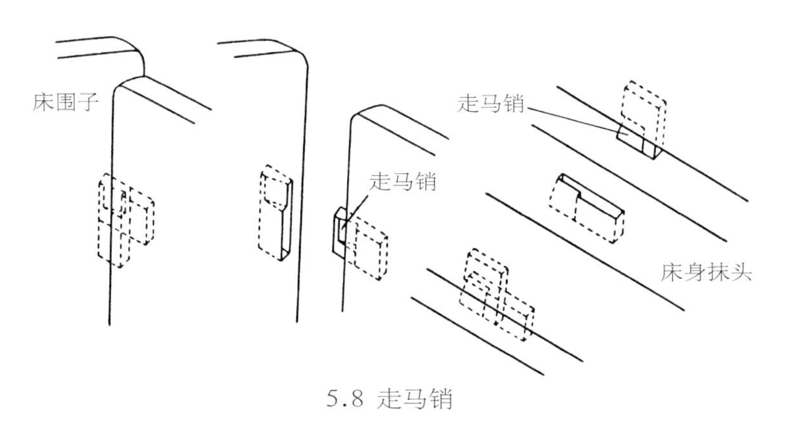

5.8 走马销

注　释

① 中国科学院考古研究所《辉县发掘报告》插图84，科学出版社1958年版。

六　丰富多彩的装饰手法

明及清前期的匠师能把造型和结构已经尽美尽善的家具，装饰得更美更好。所用手法，试加综析，可分选料、线脚、攒斗、雕刻、镶嵌、附属构件等六个方面来谈。

（一）选料

我国自古以来就对纹理华美的木材十分珍爱。西汉中山王刘胜《文木赋》有“制为杖几，极丽穷美；制为枕案，文章璀璨”①的句子。明代大量采用硬木，更是充分利用它的美丽花纹。一切器物，如自然成文，总比人工雕饰显得格外绚美多姿，隽永耐看。我们可以从不少家具上看到匠师们是如何精心选料，把美材用在家具最显著的部位。即以册中的实例而言，黄花梨翘头案（图版103），面心大边都有回荡如行云流水的纹理。从面心中部及折叠式镜台（图版162）的门上，也能看到深色的圈环和斑点，即《格古要论》、《广东新语》所谓的“鬼面”和“狸斑”②。鸂鶒木的纹理纤细曲折，用在都承盘（图版161）上作抽屉前脸的两块也取自花纹最美的部位。高扶手南官帽椅（图版49）和紫檀有束腰圈椅（图版56）分段攒成的靠背中镶瘿木板，也是借美材来取得装饰效果。

（二）线脚

在家具造型中起重要作用的各种“面”和“线”见于文献及流传在匠师口语中有不少专门术语，但缺少概括的统称，今名之曰“线脚”是借用近代建筑用语，相当于英文所谓的Moulding，它对家具装饰有特殊的意义。

传统家具的线脚看起来似乎相当简单，其面不外乎“平面”、“盖面”（又叫“混面”，即凸面）和“洼面”（即凹面）。线不外乎阴线与阳线。惟根据实物仔细分辨则又十分复杂。构件即使同一大小，凸凹也基本相似，但线和面的深浅宽窄，舒敛紧缓，平扁高立，稍有改变，便会使家具易态殊观。所以细分起来，线脚又是千变万化的。

线脚主要用在家具的“边抹”（即大边和抹头）上和腿足上。

边抹由大边和抹头构成完整的边框，在凳、椅、桌、案、床、榻、柜等多种家具上都有。所用线脚可分为上下不对称和上下对称两种。前者不论形状若何，匠师统名之曰“冰盘沿”，言其像一种盘具的边缘。例如透雕麒麟纹圈椅（图版55），椅盘属上下不对称的线脚，而牡丹纹扇面形南官帽椅（图版50），椅盘用的是上下对称的线脚。下面据一些实例，绘成线图（插图6.1、6.2）。

家具腿足大体上可分为圆、方、扁圆、扁方四种形状，它们又各有多种线脚（插图6.3、6.4）。例如方桌

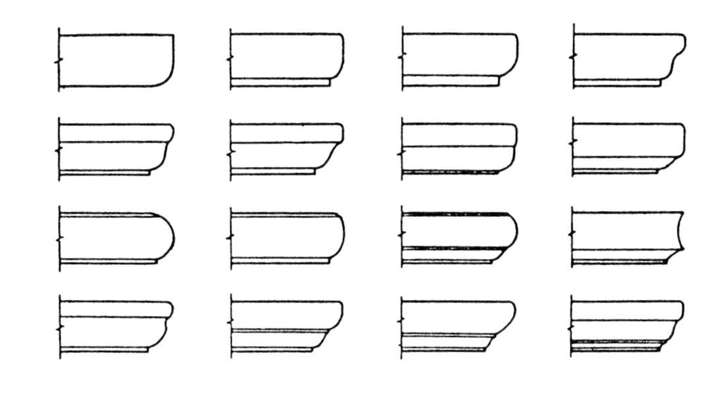

6.1 冰盘沿线脚举例

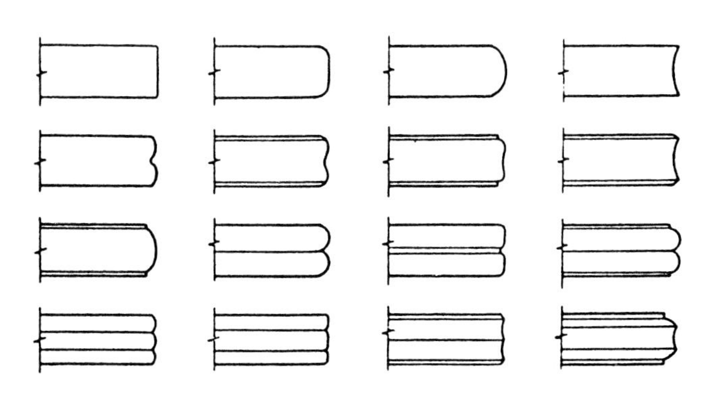

6.2 边抹线脚举例（上下对称）

两具（图版88、89），均为方腿分棱瓣，即匠师所谓的“甜瓜棱”，但线与面的处理，并不全同。大条案（图版104）与小画案（图版113）都是扁方腿，而线脚亦异。如再加上香几（图版72、73、74、75、76）、供桌（图版119）等，整条腿的轮廓、弧度、粗细几乎无一处相同，线脚就更加复杂了。下面也据一些实例，绘成线图。

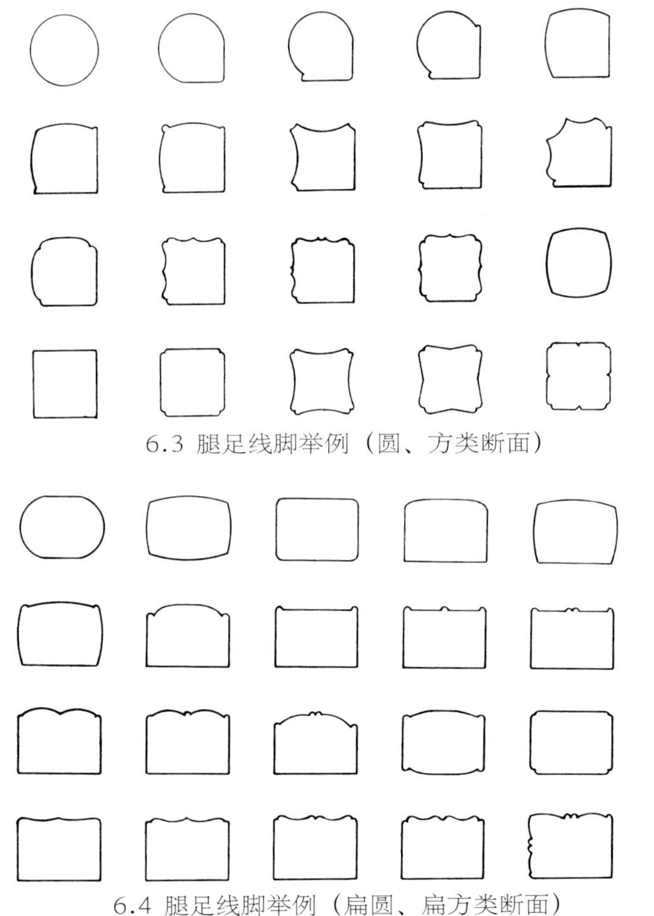

6.3 腿足线脚举例（圆、方类断面）

6.4 腿足线脚举例（扁圆、扁方类断面）

以上线图未能记录明式家具线脚之什一，只用以说明线脚是家具装饰的一种重要手法而已。

（三）攒斗

“攒斗”指“攒接”和“斗簇”。

攒是北京匠师的语言，意谓用榫卯把纵横斜直的短材攒接成各种几何形图案。斗簇乃据其做法和形态，经笔者试为拟定的一个名称，指用锼镂的花片，仗栽销把它们斗拢成图案花纹。或虽用较大木片锼成，而其效果仍似斗簇而成的。

攒斗可以合理使用木纹，避免因木纹太短而开裂，并可做得比较疏朗。取攒斗的构件与雕刻构件相比，便可确信雕刻并不能代替攒斗。举例来说，方桌（图版89）和平头案（图版106）的牙子，三件架格（图版131、132、133）的栏杆，后背及两侧的棂格，都是用攒接的方法做成的，而罗汉床（图版124）、架子床（图版126）上的曲尺和卍字栏杆更发挥了疏朗而整齐的特色。册中也有很好的斗簇实例，四簇云纹加团花的柜门（图版146），凤纹与云纹相间的衣架中牌子（图版167）都有花团锦簇之妙。至于月洞式门罩大床（图版128），四簇云纹用十字来衔接，又看到了斗簇加攒接的例子。二者合用，更呈异彩。

（四）雕刻

雕刻在装饰手法中占首要地位，因为大多数纹样都是靠雕刻做出来的，就是攒斗也多数需要施加雕刻才能完成。论其技法，可分为浮雕、透雕、浮雕与透雕相结合、圆雕四种。

家具装饰，浮雕用得最多。同为浮雕，又视其花纹突出多少，由浅至高，可分多种。举例来说，交杌上的卷草纹（图版31），南官帽椅上的牡丹纹（图版50），罗汉床上的螭虎灵芝纹（图版123），花纹显然一件比一件高。浮雕有的露光地，术语叫“铲地”，又叫“半槽地”。册中实例甚多，而以半桌（图版84）、方桌（图版91）尤为标准。有的密不露地，如宝座上的莲纹（图版59）及画桌上的灵芝纹（图版110）。同为露地，又有平地与锦地之分。平地即铲地，锦地则如圈椅上的一团花纹（图版54）。

透雕把浮雕以外的地子凿去，以虚间实，格外玲珑剔透。它有一面做和两面做之别。一面做的实例甚多，而以圈椅上的麒麟纹（图版55）最为精彩。两面做的则如衣架的中牌子（图版166）和宝座式镜台的凤穿牡丹纹（图版163）。

浮雕与透雕相结合的实例有条桌（图版94）和小画案（图版112）的牙头。

圆雕多用在家具的搭脑上，如高面盆架上的灵芝（图版169）和龙头（图版170）。矮而盆架足顶的仰俯莲（图版168），虽刀工简练，也应视为圆雕。

（五）镶嵌

镶嵌因用不同的物料而有不同的名称，如木嵌、螺钿嵌、象牙嵌等。以多种名贵材料，如玉、石、牙、角、玛瑙、琥珀及各种木料作镶嵌，构成五光十色、绚丽华美的画面，名叫“百宝嵌”。

木嵌须用与家具本体色泽不同的木材作嵌件，花纹始能清晰明快，如黄花梨嵌楠木，或楠木嵌黄花梨，实例如象纹供桌（图版119）。螺钿嵌有紫檀宝座脚踏（图版60）。百宝嵌则有大四件柜（图版149）及高面盆架（图版171）。

（六）附属构件

附属构件指镶入凳、墩、桌、案面心及柜门、床围子的各种纹石；用丝绒、藤丝编成的软屉；铜铁片叶包裹家具及作为面叶、拉手、合叶的各种饰件等。它们或有天然花纹，或经人为的加工，所以各具装饰意义。

纹石以云南大理石为上品。小画案的黄褐色石面心，花纹如山峦起伏，林木莽苍，悦人心目（图版112）。插肩榫酒桌的绿色纹石面心（图版80），亦斑斓可爱，惟纹石产地尚待查。

藤丝编成的软屉，细如丝织，有的还有暗纹，实例见紫檀有束腰圈椅（图版56），惟花纹须迎光映照始能看清。

白铜饰件如面叶、拉手、合叶等多用在箱柜及闷户橱等家具上，实例不再一一列举。百宝嵌大四件柜上的面叶（图版149）属于造型比较复杂的一类。另一种饰件用来包裹桌几的四角及束腰以下托腮转角处，并具加固和装饰双重功能，在高束腰雕花炕桌（图版66）上可以看到。交椅上则常用鋄金或鋄银的铁饰件③，宛如金、银错花纹，华美而有古意。黄花梨交椅饰件是很好的铁鋄银实例（图版57）。

注　释

① 刘胜《文木赋》，见清严可均《全上古三代秦汉三国六朝文·全汉文》卷12，页190，中华书局1958年版。

② 明王佐《新增格古要论》卷8，页5–9，《异木论》，见《惜阴轩丛书》，道光二十六年刊本；清屈大均《广东新语》卷25，页48–50，《本语·海南文木》，康熙庚辰木天阁刊本。

③ 关于鋄金，鋄银的工艺请参阅拙作《谈清代的匠作则例》，《文物》1963年7期，页19–25。

七　家具的欣赏与使用

1980年笔者写过一篇题为《明式家具的“品”与“病”》的文章①，试用“十六品”和“八病”来区别家具的好与坏和美与丑。当时的目的有二：一在说明明式家具的简练、淳朴，固早为世人所乐道，但远不能概括其全貌。此外还有不同的品格，值得欣赏品题。它们大都有迹可寻，勿须求之象外，可以说是有目共赏的。二在指出明及清前期虽是传统家具的黄金时代，但决不是每件家具都好，我们可以举出属于各种“病”的实例。

拙文发表后，承旧友新知不吝赐教。一般对上述第二点并无异议，而对第一点则颇有分歧。或认为列出“十六品”分得太细，看不出明式家具有那么多名堂，故未免有巧立名目之嫌。或认为就是“十六品”也未能概括其全貌，例如有的明代家具别具天真憨稚的情趣，文中未为列品。

实际上拙文在起草时已料想到读者会有不同的看法，因而开头便提到：“品评工艺品，尤其是牵涉到它的艺术价值，既不容易讲得很具体，更难免有主观成分。而且欣赏审美能力有高有低，见仁见智，必然有分歧。因此某一个人的看法，未必能为他人所接受。”

家具欣赏虽不必因怕人有不同的看法而闭口不谈，但如想展开讨论，活跃气氛，最好的办法还是布置一个适宜的环境，把家具陈列出来，让大家能看到，供人欣赏品评。如一时做不到，退而求其次，把家具印成图册，也算是为人提供一些欣赏家具的条件。这正是编印此册的一个主要目的。总之，家具爱好者通过自己的视觉，必然会有亲身的感受，作出好坏、美丑的判断。而任何人谈欣赏，只能代表他个人的看法，对别人最多只不过是可供参考而已。

初编此册时曾打算把拙文置诸篇末，作为附录，现在改变了主意，只把当时拟定的“品”简略地说一下。

十六品曾依其性质的近似或其他原因加以组合：

第一组有简练、淳朴、厚拙、凝重、雄伟、圆浑、沉穆七品。它们大都朴实率真，质胜于文，是明代家具的主要风貌。

第二组有秾华、文绮、妍秀三品。它们均有精美繁缛的雕饰，与第一组形成对比。

第三组有劲挺、柔婉两品。二者刚健婀娜，判然异趣。这是有意识地把截然相反的两品放在一起，使各具的特色更加鲜明。

第四组有空灵、玲珑两品。它们既同而又异，前者仗间架的空间处理，后者籍各部位的透空雕刻取得效果。

第五组有典雅、清新两品。前者必须看出有深厚的传统，谨严的法度，但又能推陈出新。后者必须是大胆创新，但又不是矫揉造作，故弄新奇。

至于列为十六品的十六件家具，绝大多数已收入此册，而某一品以某一件为例，已在本节的注②中写明，读者一检便得。

研究古代家具和人的关系，看它们在往日生活中如何被陈置使用，是一个重要而有趣味的课题，但在专著中探讨、阐述较为适宜。这里只准备谈谈今天使用古代家具的一点粗浅体会。由于它涉及现实生活，不仅家具收藏家和爱好者可能感兴趣，就是仿明家具的使用者和制造者应当也是关心的。

从无数的明清绘画可以看到明代的室内陈设朴素简单，家具疏落有致。入清以后，才日见重叠拥挤，而家具本身也越来越繁琐。今天使用明及清前期家具，宁少勿多。一室之内，陈置三、五件，四壁生辉，最见神采。倘贪多超量，便全无是处!

明及清前期家具陈置在我国传统的建筑中最为适宜，自不待言。不过出乎意料的是见到几处非常现代化的欧美住宅，陈置着明式家具，竟也十分协调。不难设想，如将上述的情况倒转过来，把近二三百年来，豪华的西洋家具摆在我国的古建筑中，必然会感到不伦不类，而为什么明式家具和现代生活却能这样合拍呢？思考一下似乎也不难理解，正是由于西方现代生活所追求的简练明快的格调在本质上和明式家具有相同之处的缘故。事实证明，明及清前期的家具造型艺术已经成为世界人民的共同财富。

家具陈置，前代多因室而异。厅堂上的器物讲求对称，固定而不免拘谨。书斋及居室则注重实用，灵活而多变化。这样，在布置上会出现对称与不对称、固定与灵活的对比。有对比胜过没有对比，这可使相对的事物更加突出。而且出现对比，本身就意味着不是单一而是有变化。在现实生活中不能想象还会有三楹或五楹的厅堂，但这并不妨碍有意识地兼用对称与不对称、固定与灵活的两种布置方法。因为从这里也能看到对比和变化。

前面第三节讲到传统家具无束腰和有束腰两个不同的渊源，不同的渊源决定它们有不同的形态。以无束腰家具来说，许多品种如直足长方凳（图版9）、灯挂椅。（图版36、37）、官帽椅（图版46、48、50）、一腿三牙方桌（图版87、88）、翘头案（图版100）、画案（图版111、112）、圆角柜（图版141、142）、闷户橱（图版153）等，它们属于一家眷属。有束腰或四面平式家具如长方凳（图版15）、二人凳（图版35）、炕桌（图版63）、半桌（图版83）、大方桌（图版90）小条桌。（图版97）、画桌（图版109）、方角柜（图版145）。四件柜（图版148、149）等，它们另属一家眷属。我们如果把同是一家眷属的家具组合在一起，尽管品种不同，外形各异，但其间自有相似之处，而且会使人感到格外协调融洽。这种相似已经超出了形似而兼有神似了。现在提出这一点，意在说明各种家具不妨按其渊源来加以组合。收藏家可分组陈设，仿制者可分组生产，使用者可分组购置。从这样的组合中我们可以领略到神情的和谐，得到美的享受。

最后对少数几种家具的功能和使用谈一些个人的看法。

一般认为明代家具最不适用的是椅具，主要嫌座面太高，坐起来不舒适，因而仿明的椅子都在如何降低其高度上下功夫。不过明代的椅子，尤其是大型的官帽椅（图版50）和圈椅，如果备有脚踏却是非常舒适的坐具。它们有的本有脚踏，只是年久散失而已。大型明椅现在仿制者不多，而带有脚踏的大椅似乎很少有人去试制。

宽大桌案，桌面下平列抽屉数具，两旁又各有抽屉重叠到地，此为清式书案。明式的画桌、画案则不设抽屉，一经使用，多与之结不解之缘，对清式望而生厌，深憾其桌案下少空间而多窒碍，书画挥毫，尤感不便，故有抽屉不如无抽屉。当然无抽屉也有不便之处，但有补救之法，即在案后立柜架，案侧设官皮箱或药箱（图版158、159）一类多抽屉家具，配合使用，有左右逢源之快。

腰背疼痛每起因于西式厚垫软床的长期使用。传统床榻用棕藤编织成屉，通风而有弹性，软硬适中，久用不贻后患，尤以三面设围子的藤屉罗汉床（图版122、123、124、125），堪称最理想的卧具。

本册列为“其他类”中的滚凳（图版172），功能尚未广为人知。两足踏其上，往复滚动，使涌泉穴受搓擦，有利血液循环，是极好的理疗用具。可以预言，滚凳将和保定特产的健身球一样，受到世人的欢迎和重视。

注　释

① 拙文在《文物》1980年4、6期及《美术家》1980年总13、15期刊出。两次发表，繁简稍有不同。

② “十六品”的品名、家具名称及编号列出如下：第一品简练，罗汉床（图版122）；第二品淳朴，画桌（图版108）；第三品厚拙，五足香几（图版73）；第四品凝重，南官帽椅（图版50）；第五品雄伟，宝座（未收入本册，现藏承德避暑山庄）；第六品圆浑，坐墩（未收入本册，现藏承德避暑山庄）；第七品沉穆，黑漆炕几（图版67）；第八品秾华，架子床（图版128）；第九品文绮，画桌（图版110）；第十品妍秀，半桌（图版84）；第十一品劲挺，方桌（图版86）；第十二品柔婉，官帽椅（图版46）；第十三品空灵，靠背椅（未收入此册，见艾克《中国花梨家具图考》图版100）；第十四品玲珑，座屏风（图版150）；第十五品典雅，衣架残件（图版167）；第十六品清新，六方形官帽椅（图版53）。

彩色图版

1

1. 故宫博物院漱芳斋内景之一

風雅存
聊将山水寄清音

2

2. 故宫博物院漱芳斋内景之二

3

4

3. 故宫博物院储秀宫内景
4. 颐和园排云殿西配殿紫霄阁内景

8

8. 明黄花梨翘头案、香几、长方凳组合
王世襄藏

5

5. 黄胄画室一角

6

7

6. 王世襄工作室一隅
7. 明黄花梨琴桌、香几、方凳组合
   王世襄藏

椅凳类

9. **明黄花梨无束腰长方凳**（附实测图）
51.5×41、高51厘米
王世襄藏
① 长方凳背面，可见藤编软屉及弯枨

①

9

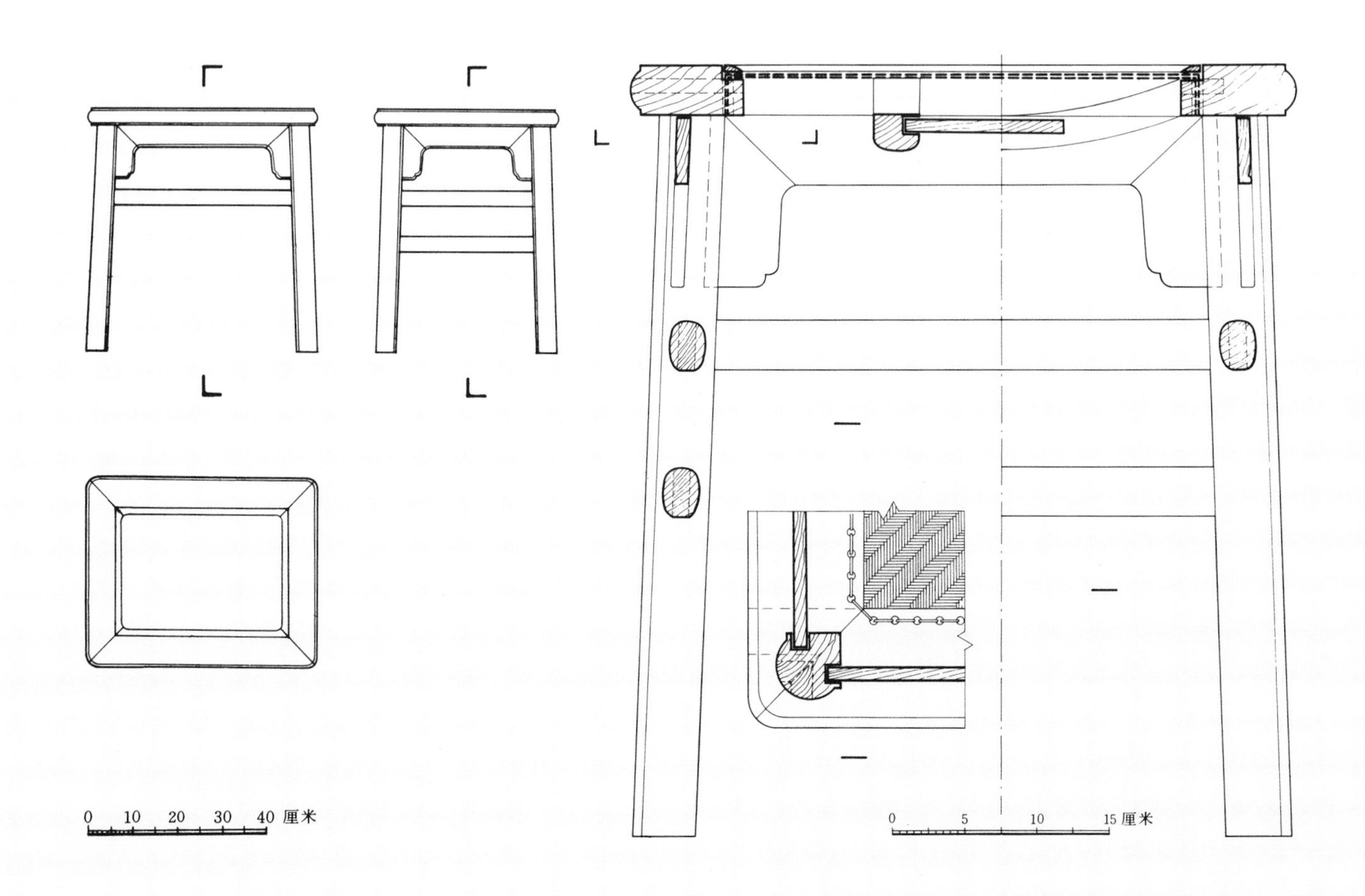

10

10. 明黄花梨无束腰小方凳
28 × 28、高26厘米
王世襄藏

11. 明黄花梨长方凳和小方凳合影
王世襄藏

11

12

13

12. **明黄花梨无束腰裹腿罗锅枨加矮老方凳**
    52.5×52.5、高51厘米
    北京木材厂藏
13. **明黄花梨无束腰裹腿罗锅枨加卡子花方凳**
    50.5×50.4、高46.5厘米
    中央工艺美术学院藏

14

①

15

14. 清紫檀无束腰管脚枨方凳
52.5×52.5、铜足高5.5、通高47厘米
王世襄藏

① 铜足套特写

15. 明黄花梨有束腰罗锅枨长方凳
48.5×42.5、高50厘米
中央工艺美术学院藏

16

①

16. 明黄花梨有束腰十字枨长凳

55.2×46.3、高48.5厘米

费伯良藏

① 侧面

② 背面

②

17

17. **明黄花梨有束腰三弯腿罗锅枨长方凳**
51×42、高51厘米
北京硬木家具厂藏

20. **明紫檀有束腰鼓腿彭牙方凳**
57×57、高52厘米
故宫博物院藏

20

18

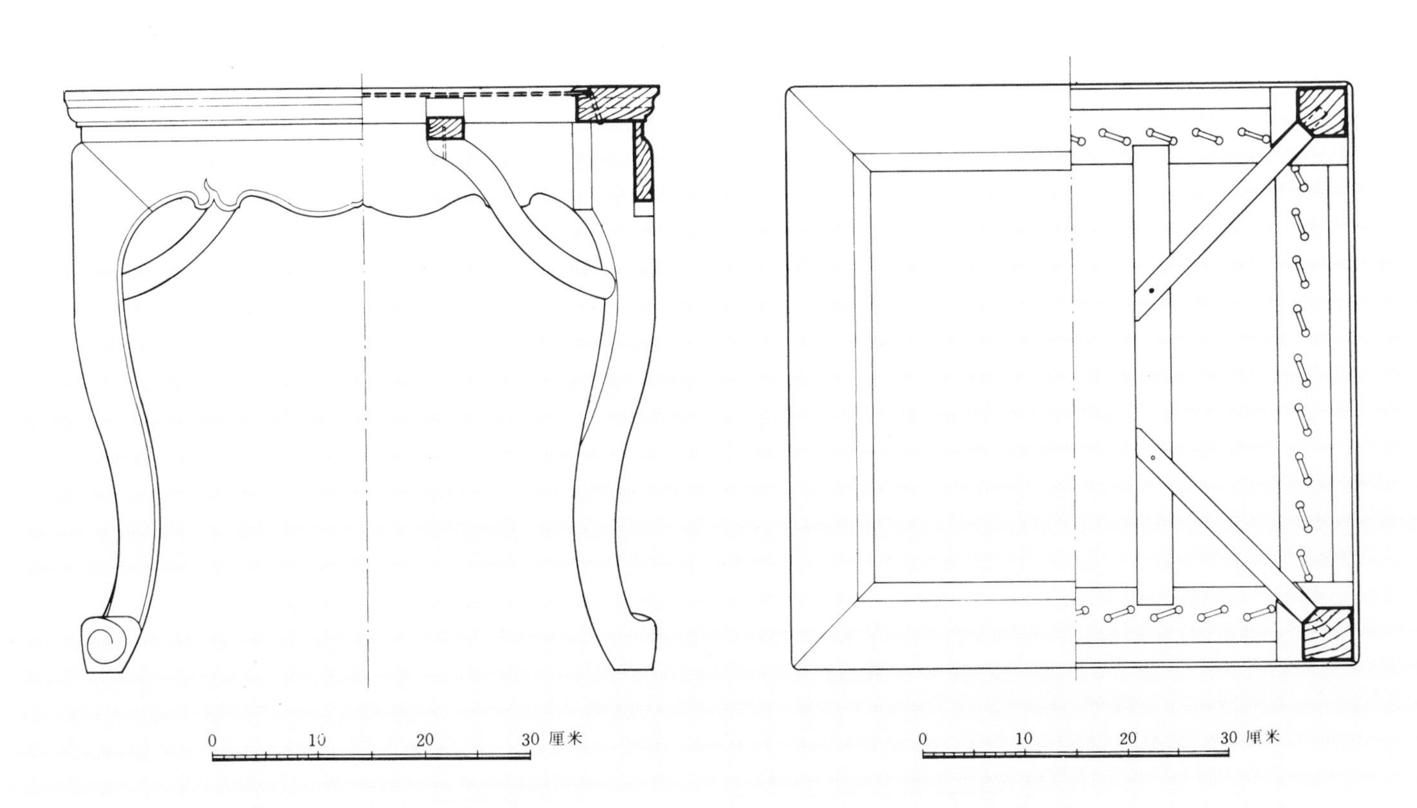

21

19

18. **明黄花梨有束腰三弯腿霸王枨方凳**（附实测图）
55.5×55.5、高52厘米
王世襄藏
19. **明黄花梨有束腰三弯腿罗锅枨加矮老方凳**
48×47.7、高54厘米
王世襄藏
21. **明黄花梨有束腰鼓腿彭牙大方凳**
64×64、高55厘米
北京木材厂藏

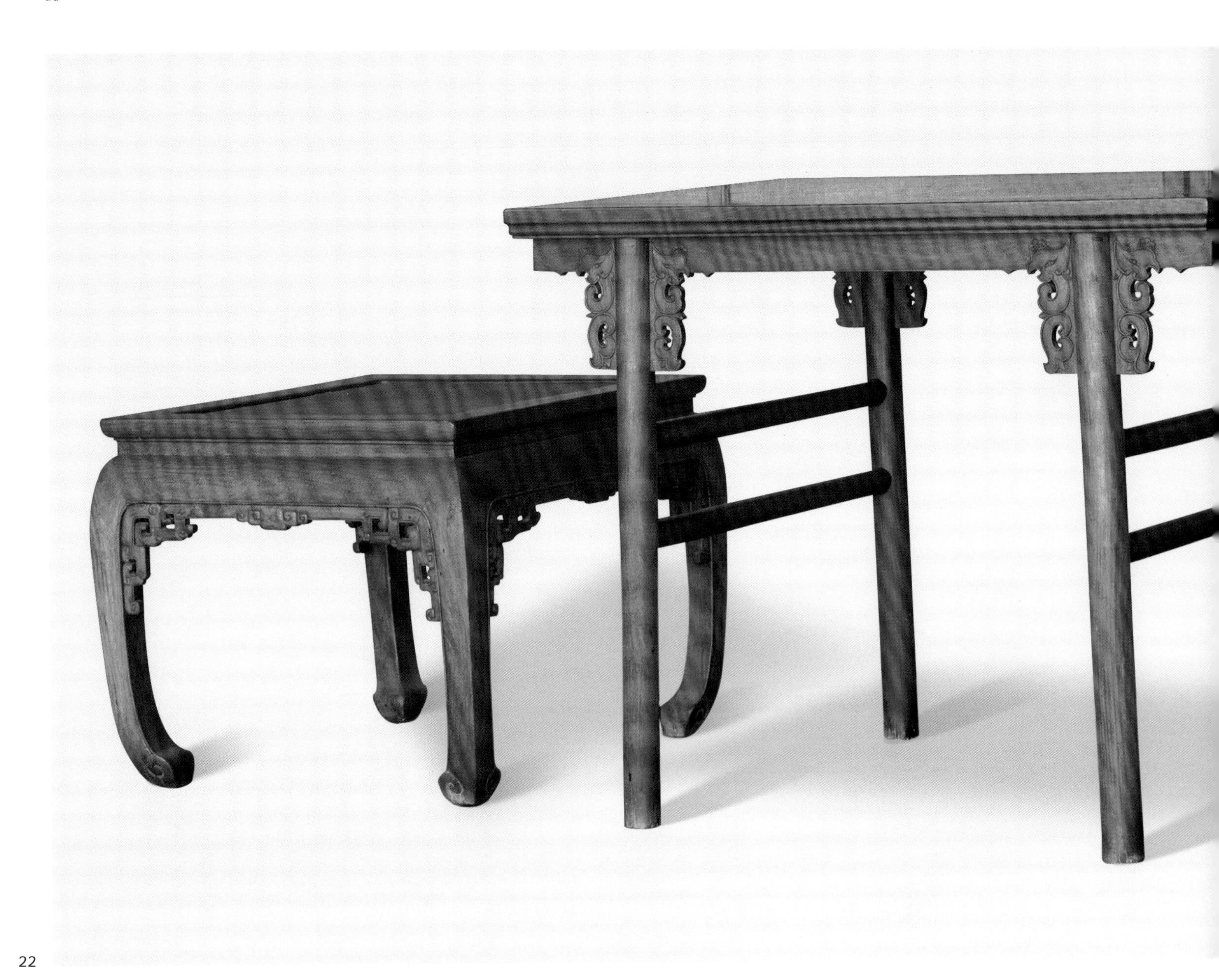

22

23

22. **明黄花梨小画案、有束腰大方凳组合**
北京木材厂藏
23. **清红木有束腰管脚枨方凳**
54.5×54.5、高52厘米
张安藏

24. 明黄花梨三弯腿罗锅枨方凳
52 × 52、高54厘米
北京硬木家具厂藏

24

25

①

27

26

28

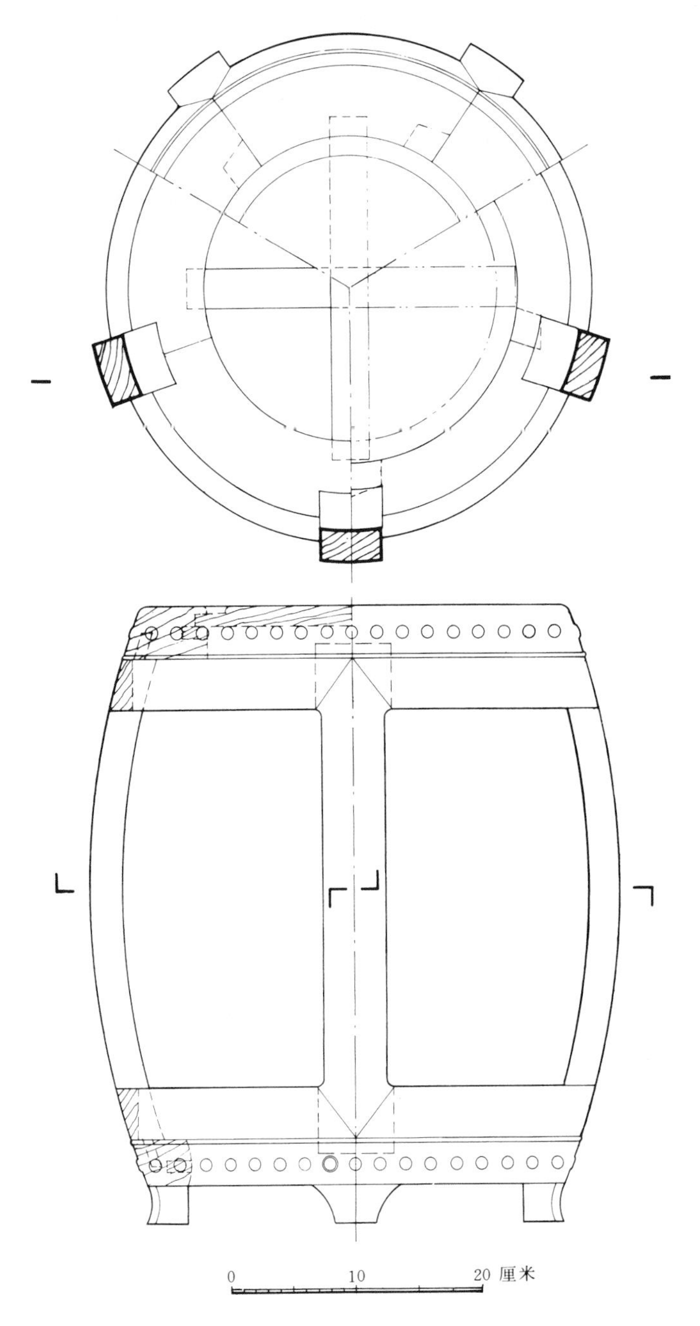

29

25. 清有束腰瓷面圆凳
面径41、高49厘米
颐和园藏
① 镶有青花瓷片的圆凳面

26. 明黄花梨八足圆凳
面径38、腹径45、高49厘米
北京硬木家具厂藏

27. 清紫檀五开光坐墩
面径28、高52厘米
故宫博物院藏

28. 清紫檀五开光坐墩（附实测图）
面径34、腹径42、高48厘米
黄胄藏

29. 清紫檀直棂式坐墩
面径29、高47厘米
北京硬木家具厂藏

30

31

30. 清黄花梨小交杌
面支平47.5×39.5、高43厘米
杨乃济藏

①

31. 明黄花梨有踏床交杌（附实测图）
面支平55.7×41.4、高49.5厘米
王世襄藏
① 交杌折叠的情况
② 卷草纹浮雕特写

②

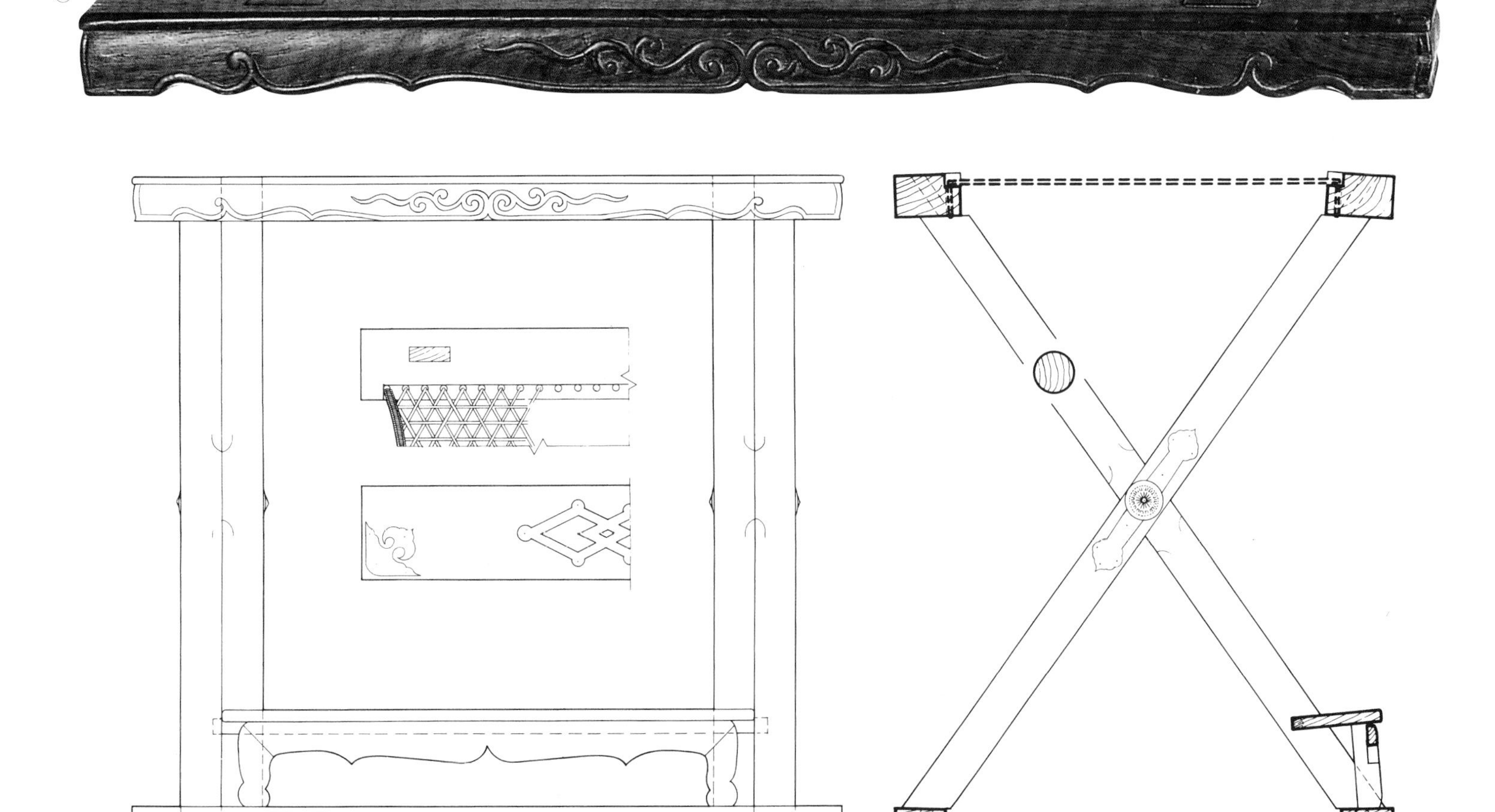

32. **清黄花梨上折式交杌**
面支平56×49、高49厘米
天津市艺术博物馆藏
① 交杌折叠的情况
② 交杌踏床

32

①

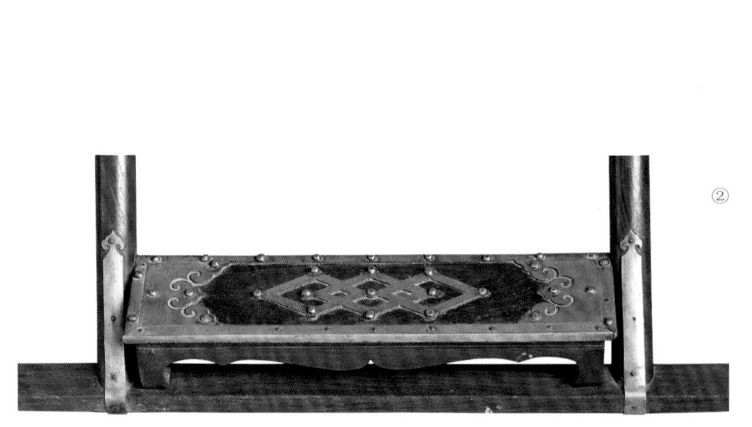

②

33

①

33. 清榉木夹头榫小条凳
49.5×15、高40厘米
王世襄藏
① 小条凳侧面局部

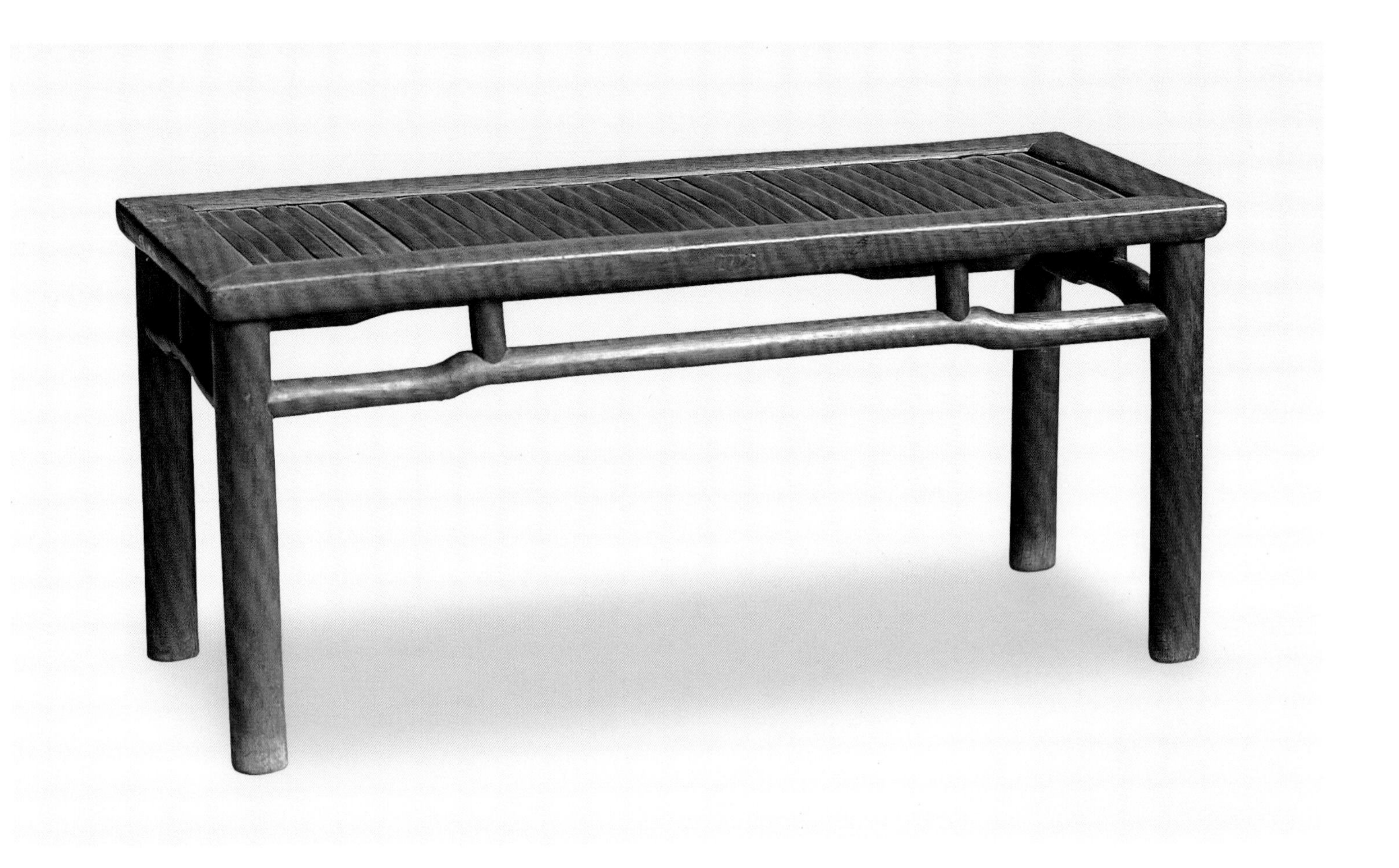

34

35

34. 清柞木无束腰罗锅枨加矮老二人凳
83×31、高39厘米
天津市艺术博物馆藏

35. 明黄花梨有束腰罗锅枨二人凳
102×42、高49厘米
北京木材厂藏

36. 清榉木小灯挂椅

座面43×37、座高37、通高83.5厘米

土世襄藏

① 小灯挂椅侧面

② 藤编软屉正面

③ 藤编软屉背面

①

36

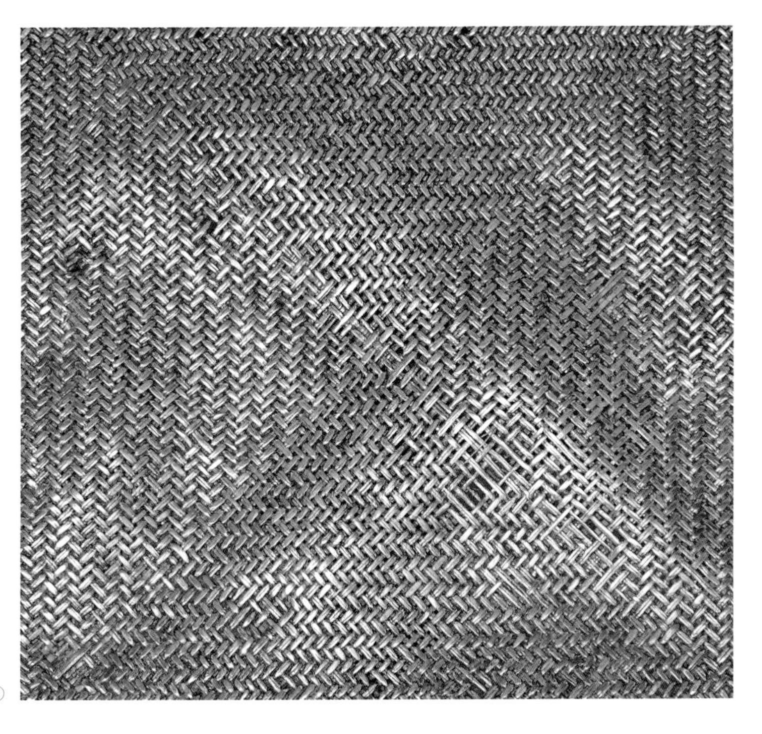

②

③

37

39

37. 明黄花梨大灯挂椅
座面57.5×41.5、通高117厘米
陈梦家夫人藏

39. 清红木小靠背椅
座面48×44、通高85厘米
王世襄藏

38

38. 明黄花梨大灯挂椅、方桌组合
陈梦家夫人藏

40

①

②

40. 明黄花梨雕花靠背椅

座面62.5×42、通高99.5厘米

陈梦家夫人藏

① 靠背椅背面

② 雕花靠背

41

①

41. 明黄花梨玫瑰椅
座面56×43.2、通高85.5厘米
陈梦家夫人藏
① 靠背特写

42

42. 明黄花梨玫瑰椅
座面58×45、通高69厘米
中央工艺美术学院藏

43

①

②

43. **明黄花梨透雕靠背玫瑰椅**
座面61×46、通高87厘米
中央工艺美术学院藏
① 扶手特写
② 靠背特写

44

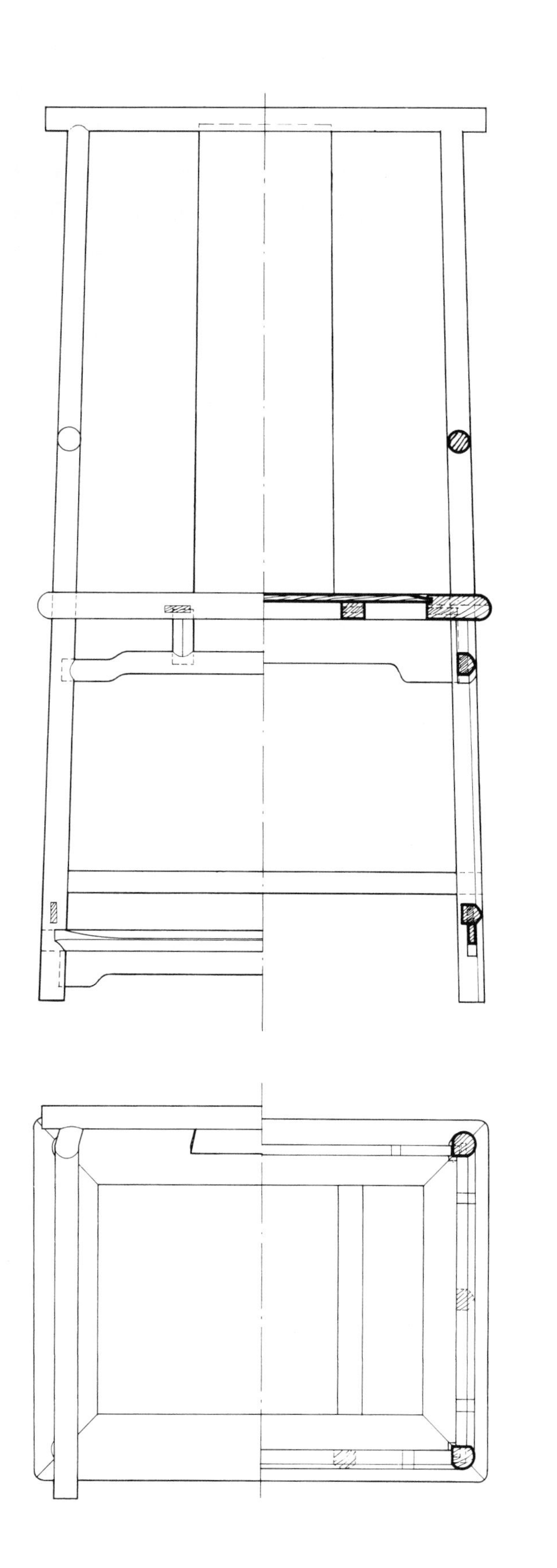

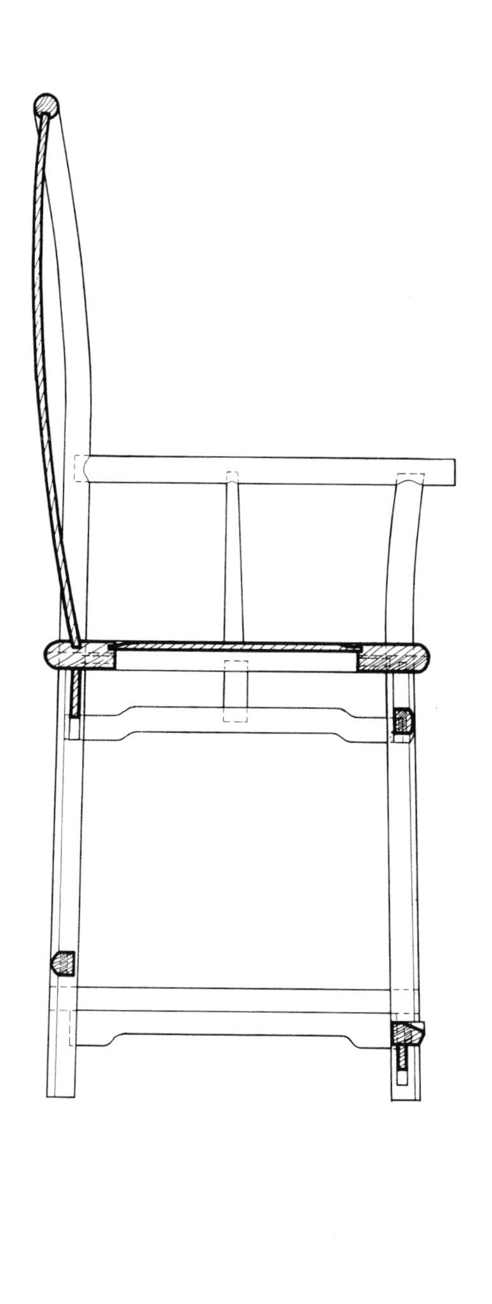

0 10 20 30 40 厘米

44. 明铁力四出头官帽椅（附实测图）
座面74×60.5、通高116厘米
王世襄藏

45

45. **明黄花梨四出头官帽椅**
座面55.5×43.4、通成120.4厘米
陈梦家夫人藏

47. **明黄花梨矮靠背南官帽椅**
座面59×47、通高82厘米
中央工艺美术学院藏

①

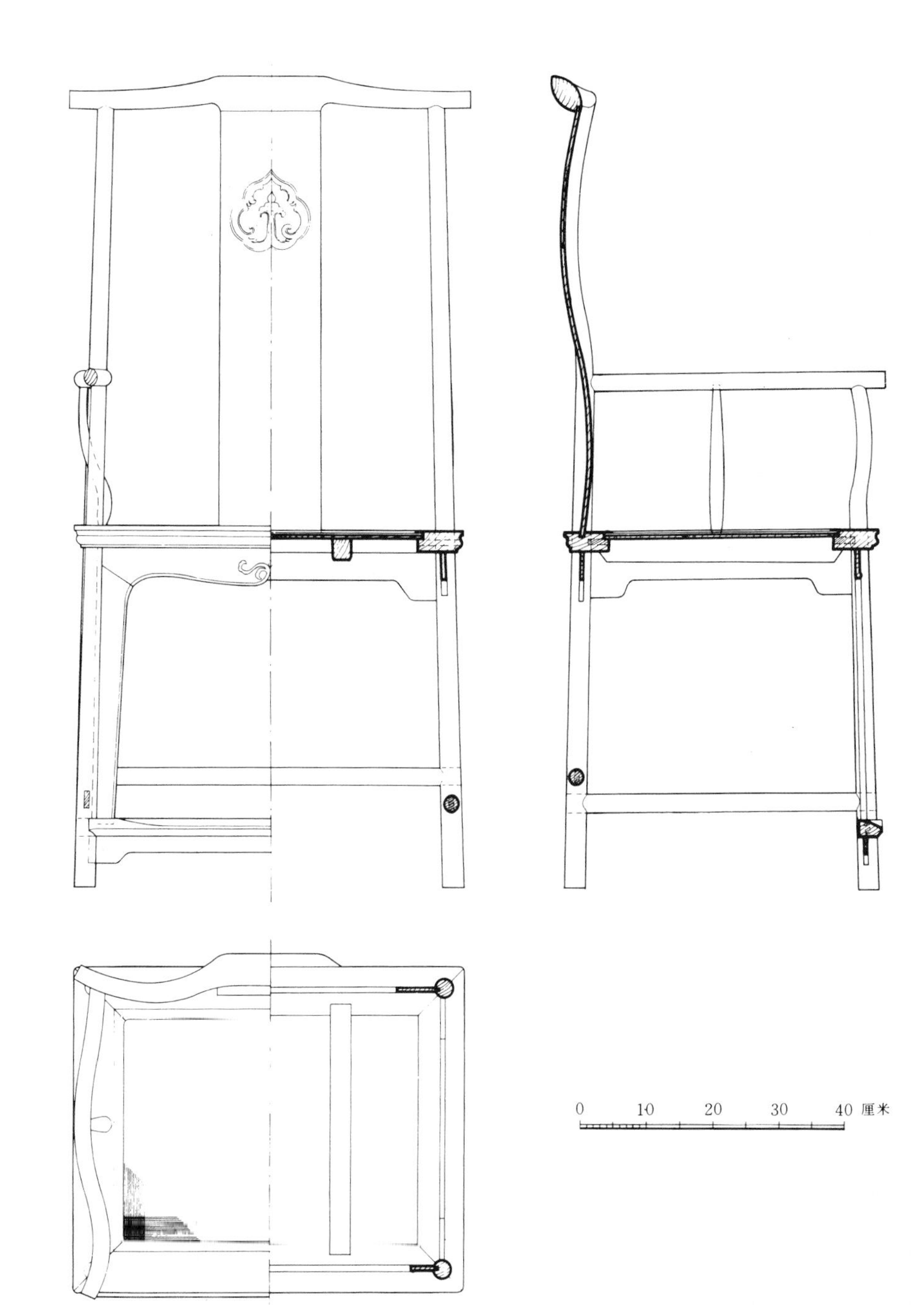

46. 明黄花梨四出头官帽椅（附实测图）
座面58.5×47、通高119.5厘米
王世襄藏
① 靠背板的云纹浮雕

①

48

②

48. **明黄花梨高靠背南官帽椅**
座面57.5×44.2、通高119.5厘米
叶万法藏
① 侧面
② 靠背板的螭纹浮雕

49. **明黄花梨高扶手南官帽椅**
座面56×47.5、通高93.2厘米
颐和园藏
① 侧面
② 靠背板的透雕龙纹玉片

49

①

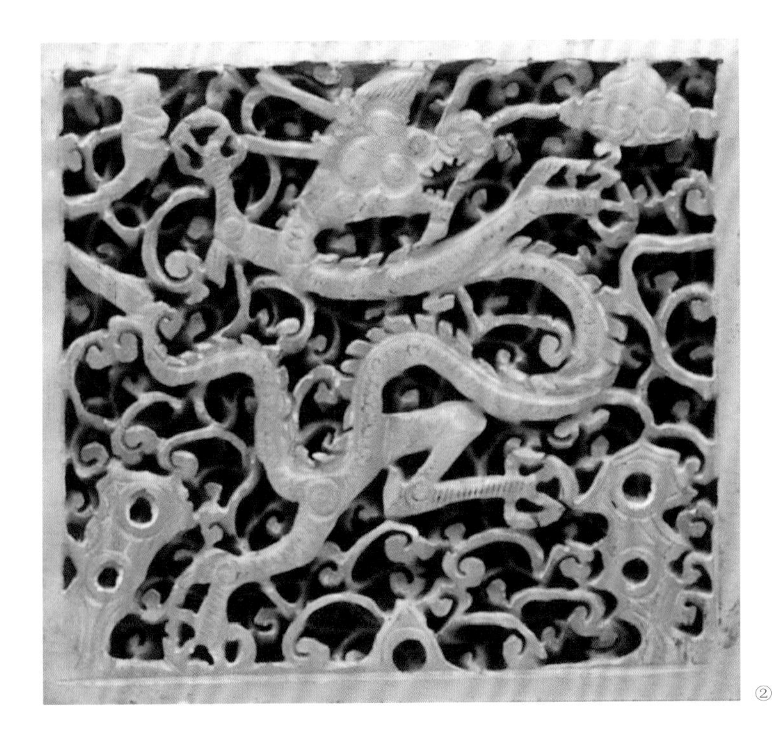

②

50

①

②

50. 明紫檀扇面形南官帽椅（附实测图）
座面前宽75.8、后宽61、深60.5、
通高108.5厘米
王世襄藏
① 侧面
② 靠背板的牡丹纹浮雕

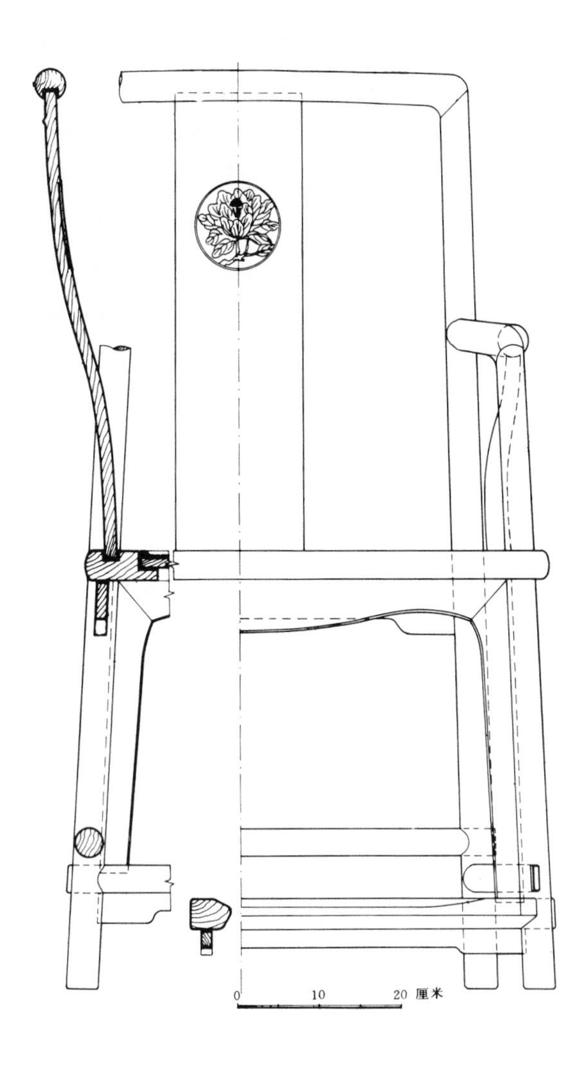
0
10
20 厘米

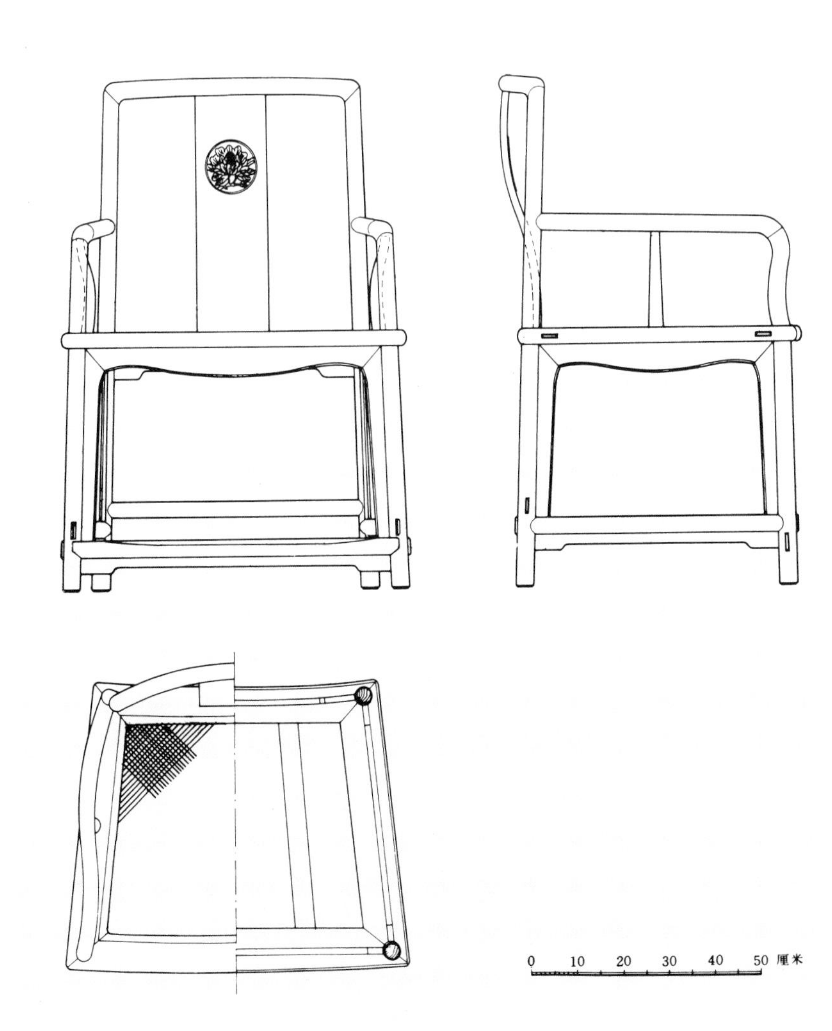
0
10
20
30
40
50 厘米

51. 清榉木小灯挂椅、明紫檀扇面形南官帽椅合影

王世襄藏

52. **明榉木矮南官帽椅**
座面71×58、座高31.5、通高77厘米
中央工艺美术学院藏
① 靠背板的凤纹雕

①

52

53

①

53. 明黄花梨六方形南官帽椅
座面78×55、座高49、通高83厘米
故宫博物院藏
① 侧面

54

54. 明黄花梨圈椅
座面54.5×43、通高93厘米
北京硬木家具厂藏
① 靠背板的锦地龙纹浮雕

①

55

①

②

55. 明黄花梨透雕靠背圈椅（附实测图）
座面60.7×48.7、通高107厘米
王世襄藏
① 靠背板的麒麟纹透雕
② 侧面

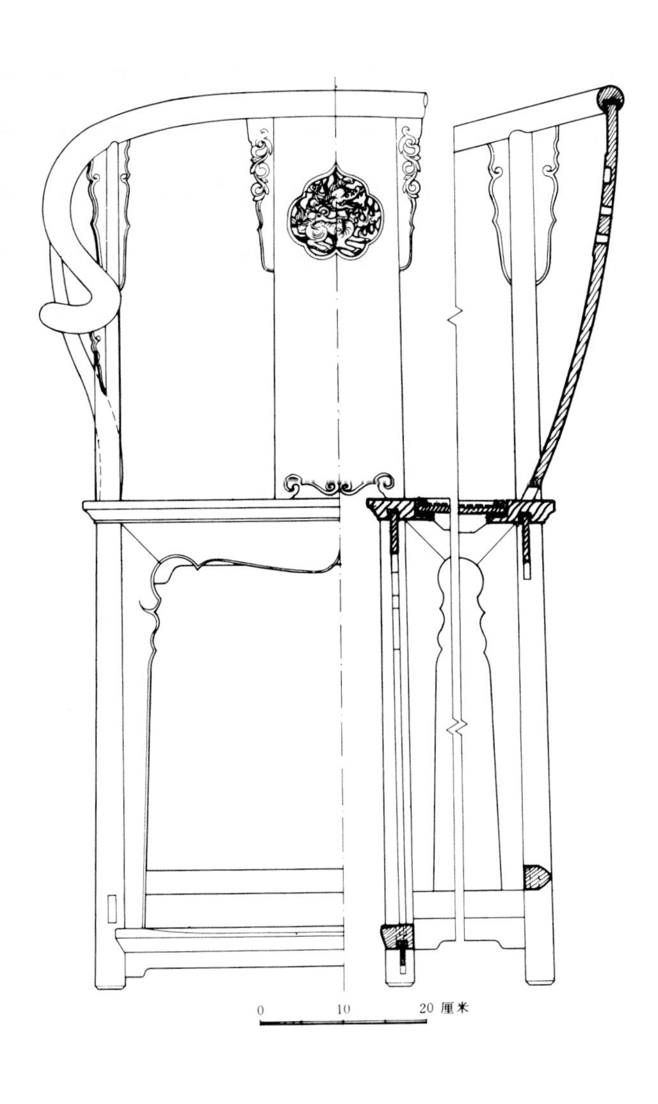
0
10
20 厘米

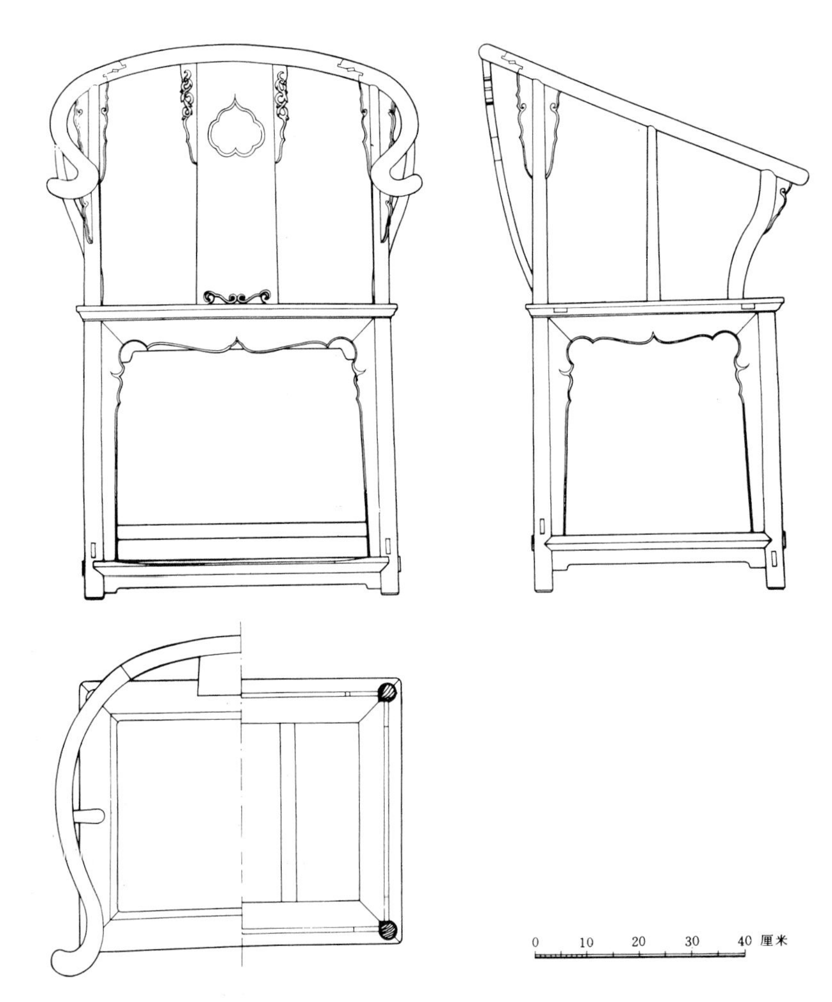
0
10
20
30
40 厘米

56

56. 清紫檀有束腰带托泥圈椅
座面63×50、座高49、通高99厘米
故宫博物院藏
① 侧面
② 靠背特写
③ 足部卷草纹透雕
④ 扶手卷草纹透雕
⑤ 扶手卷草纹后侧透雕

①

②

③④

⑤

57

①

②

③

④

⑤

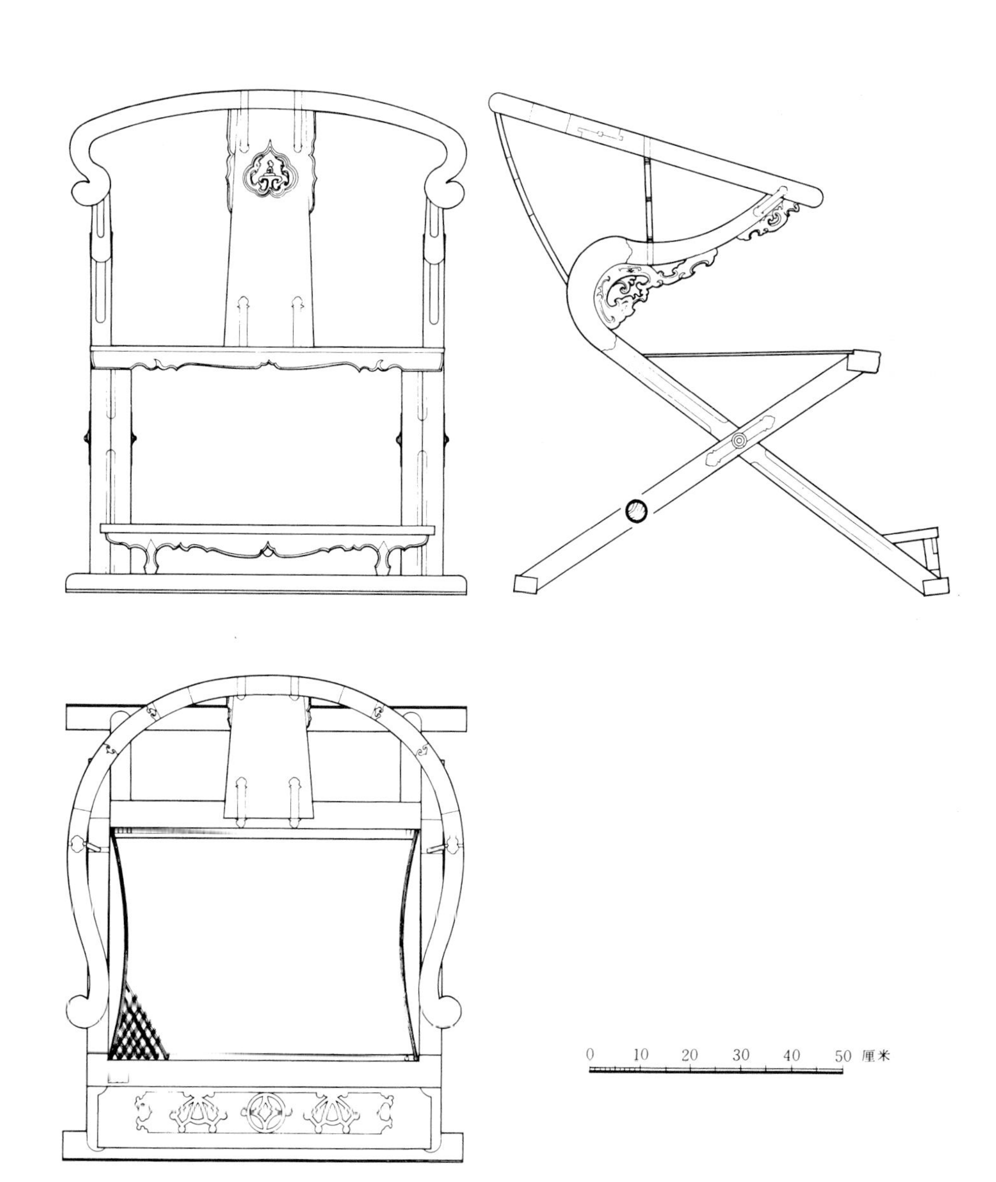

57. 元黄花梨圆后背交椅（附实测图）
座面支平69.5×53、通高94.8厘米
陈梦家夫人藏
① 侧面
② 背面
③ 靠背板的云纹透雕
④ 侧面角牙及鋄银饰件特写
⑤ 交杌踏床

58

58. 明黄花梨圆后背交椅（附实测图）
座面支平70×46.5、通高112厘米
王世襄藏
① 侧面
② 靠背板的麒麟纹透雕

①

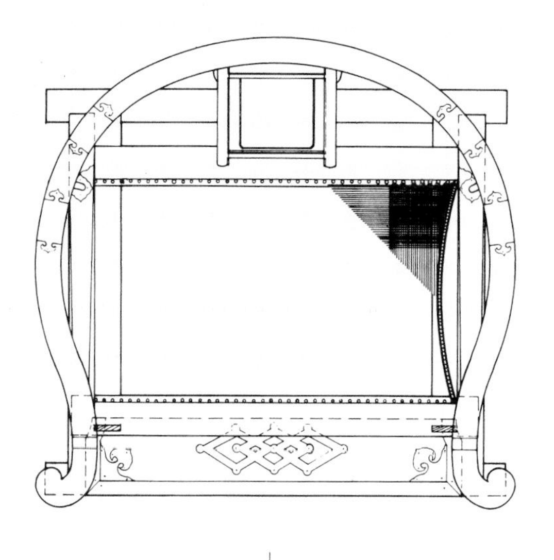

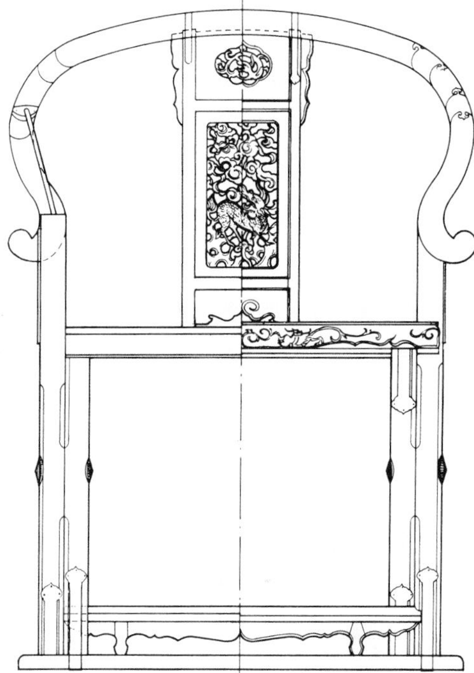

②

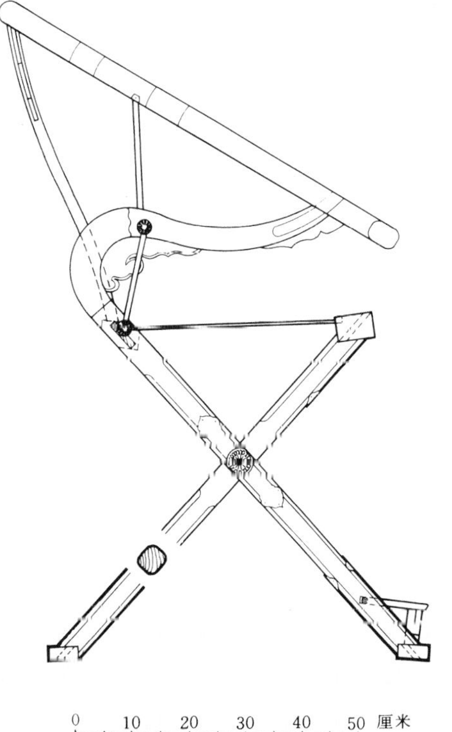

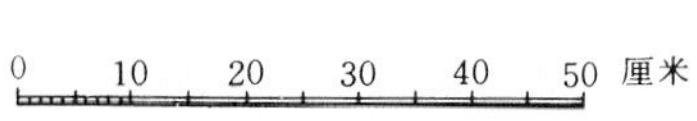

59

59. **明紫檀有束腰带托泥宝座**
座面98×78、通高109厘米
故宫博物院藏

①

60. 清紫檀有束腰嵌螺钿脚踏残件
117×38、高11.5厘米
王世襄藏
① 螺钿嵌螭纹特写
② 俯视脚踏可见螺钿嵌成的螭纹

60

②

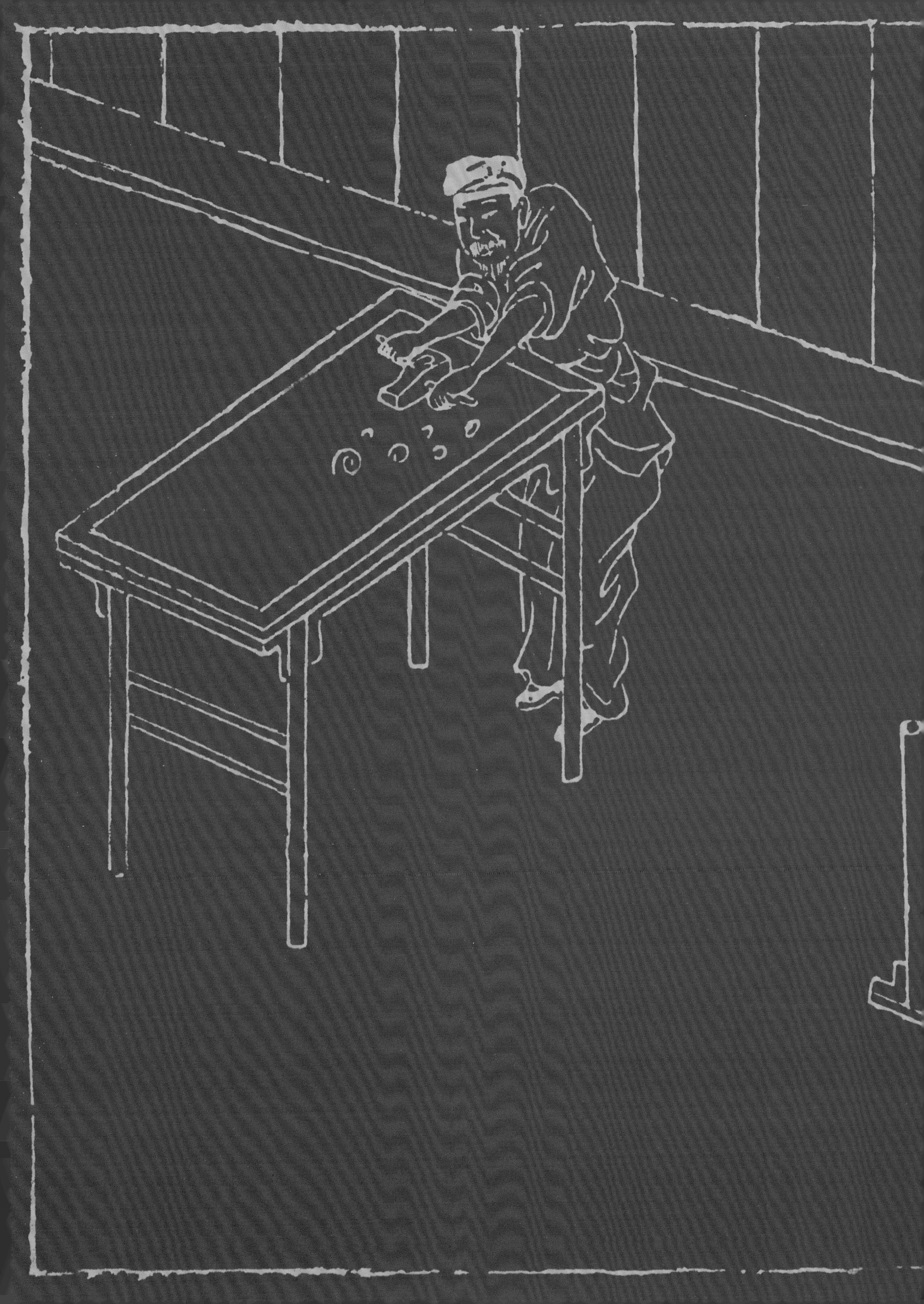

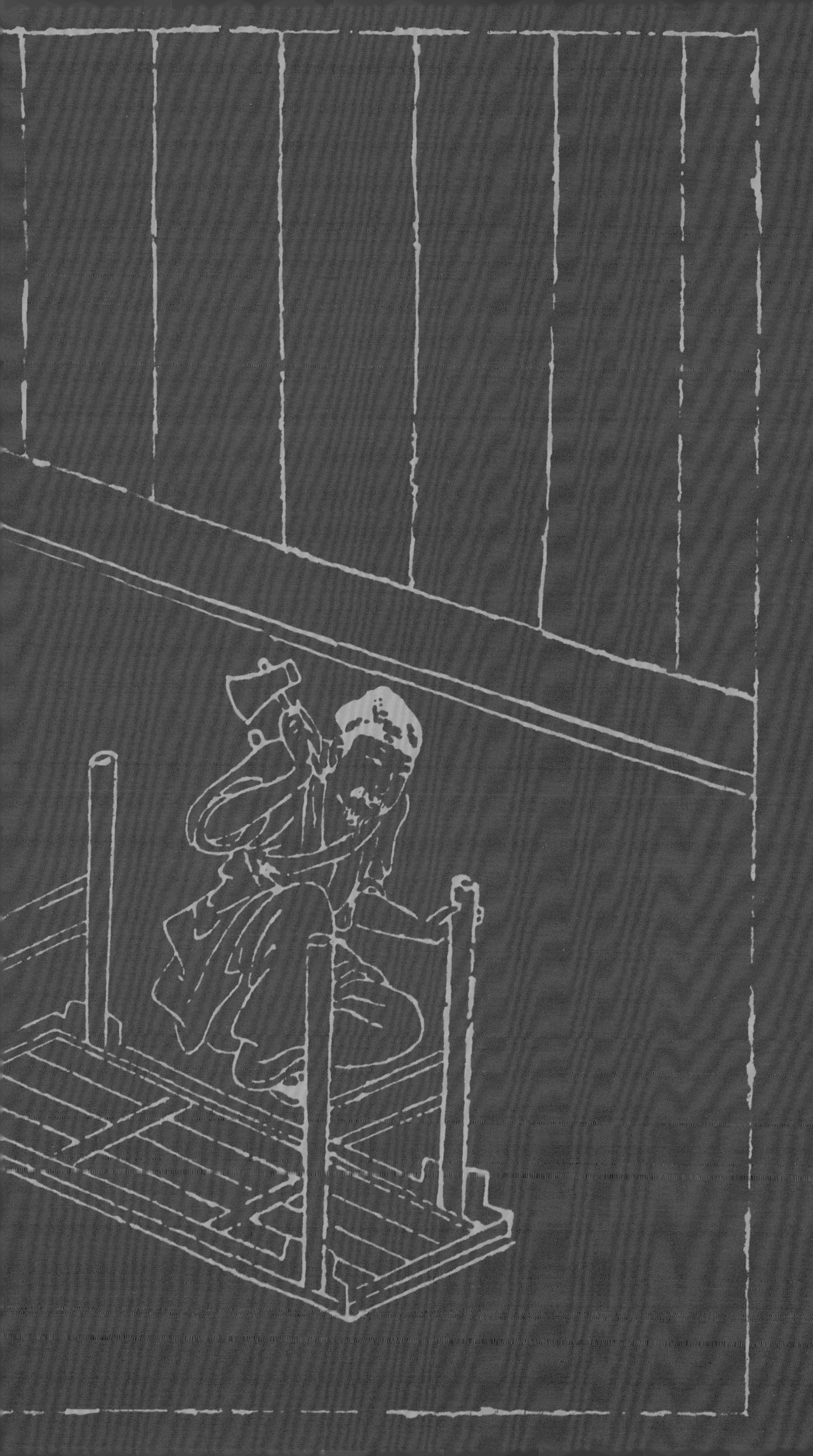

桌案类

61

61. **清黄花梨无束腰仿竹材方炕桌**
80.5×80.5、高24厘米
中央工艺美术学院藏

62. 清黄花梨有束腰镂空牙条炕桌
99.5×67、高31.8厘米
故宫博物院藏

63

①

②

63. 明黄花梨有束腰齐牙条炕桌

108×69、高29.5厘米

王世襄藏

① 侧面

② 炕桌一角

64

①

②

64. **明黄花梨有束腰鼓腿彭牙炕桌**
84×52、高29厘米
故宫博物院藏
① 牙条草龙纹浮雕
② 炕桌一角

①

65

65. **明黄花梨有束腰三弯腿炕桌**（附实测图）
88×46、高30厘米
陈梦家夫人藏
① 侧面

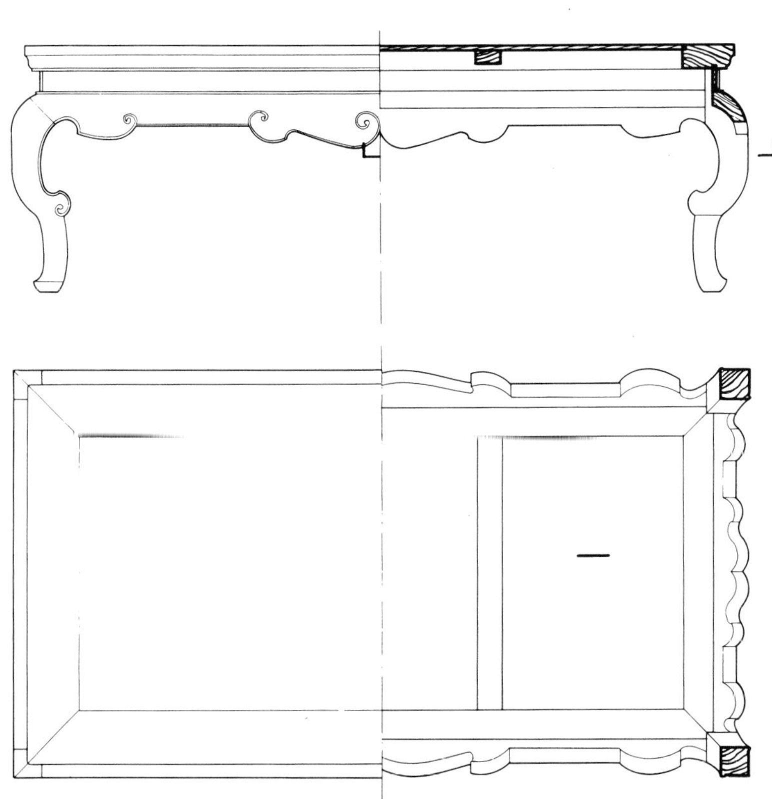

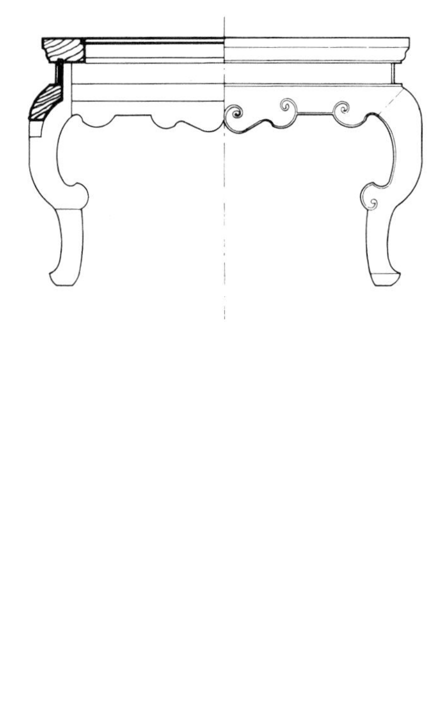

0 10 20 30 厘米

66

①

66. 明黄花梨高束腰雕花炕桌
105×72.5、高27.5厘米
北京木材厂藏
① 炕桌一角

①

67. **清黑漆炕几**（附实测图）
129×34.5、高37.2厘米
王世襄藏
① 侧面

67

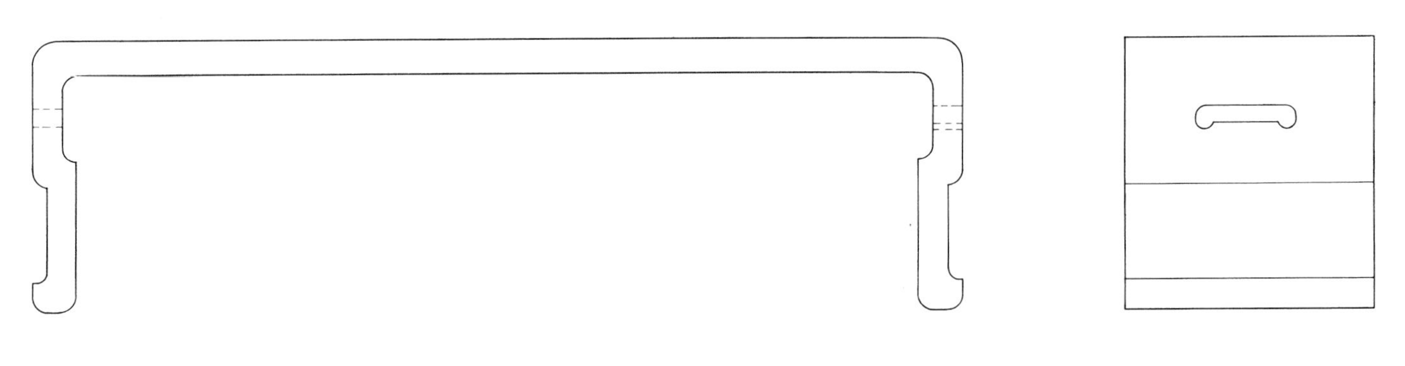

68. 清紫檀无束腰罗锅枨装牙条炕几
99×35、高32.5厘米
颐和园藏

68

69

69. **清紫檀夹头榫炕案**
93×32、高32.3厘米
颐和园藏

①

70

70. 明鸂鶒木撇腿翘头炕案（附实测图）
130×32.5、通高32.5厘米
陈梦家夫人藏
① 云纹牙头特写

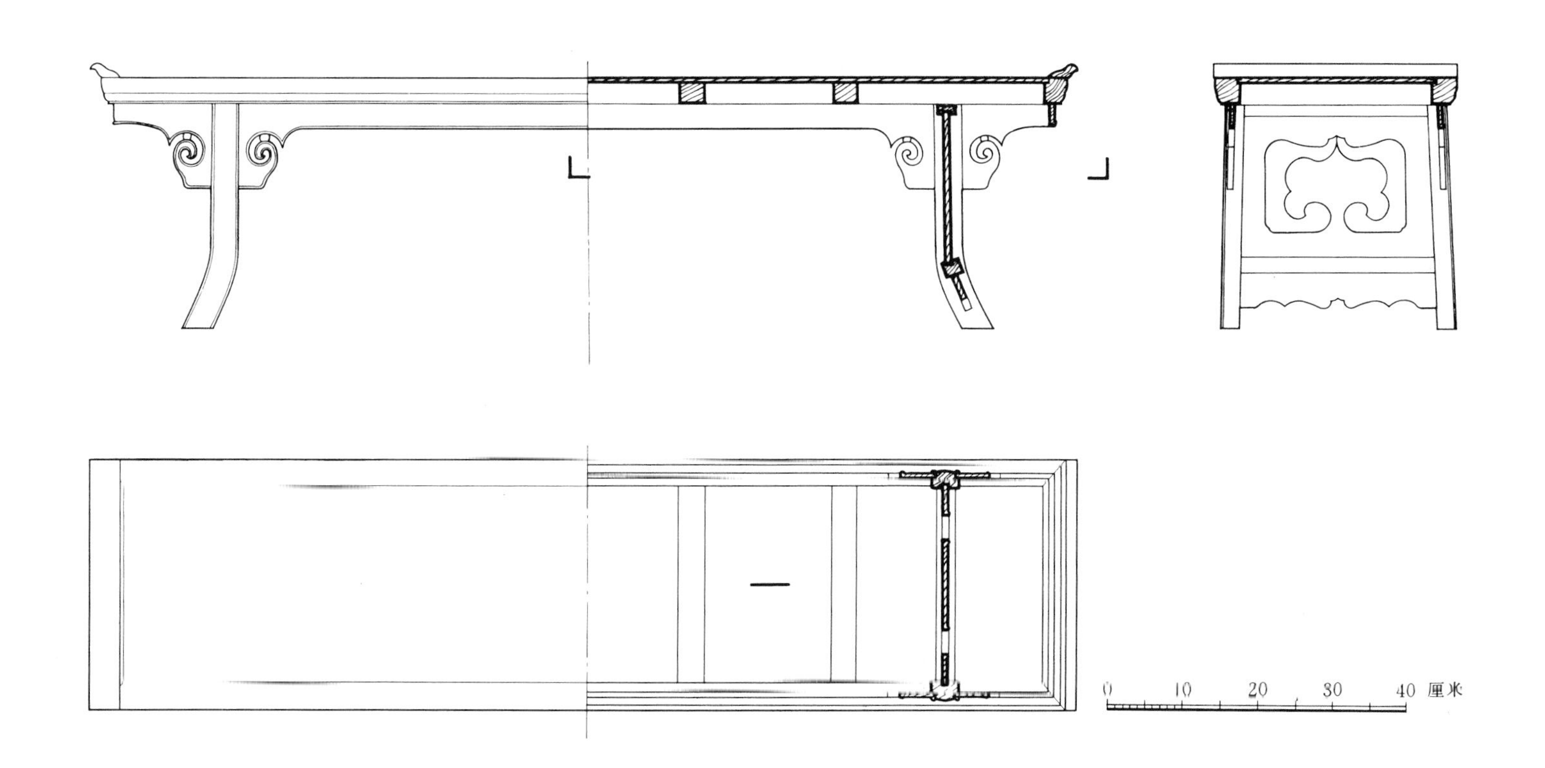

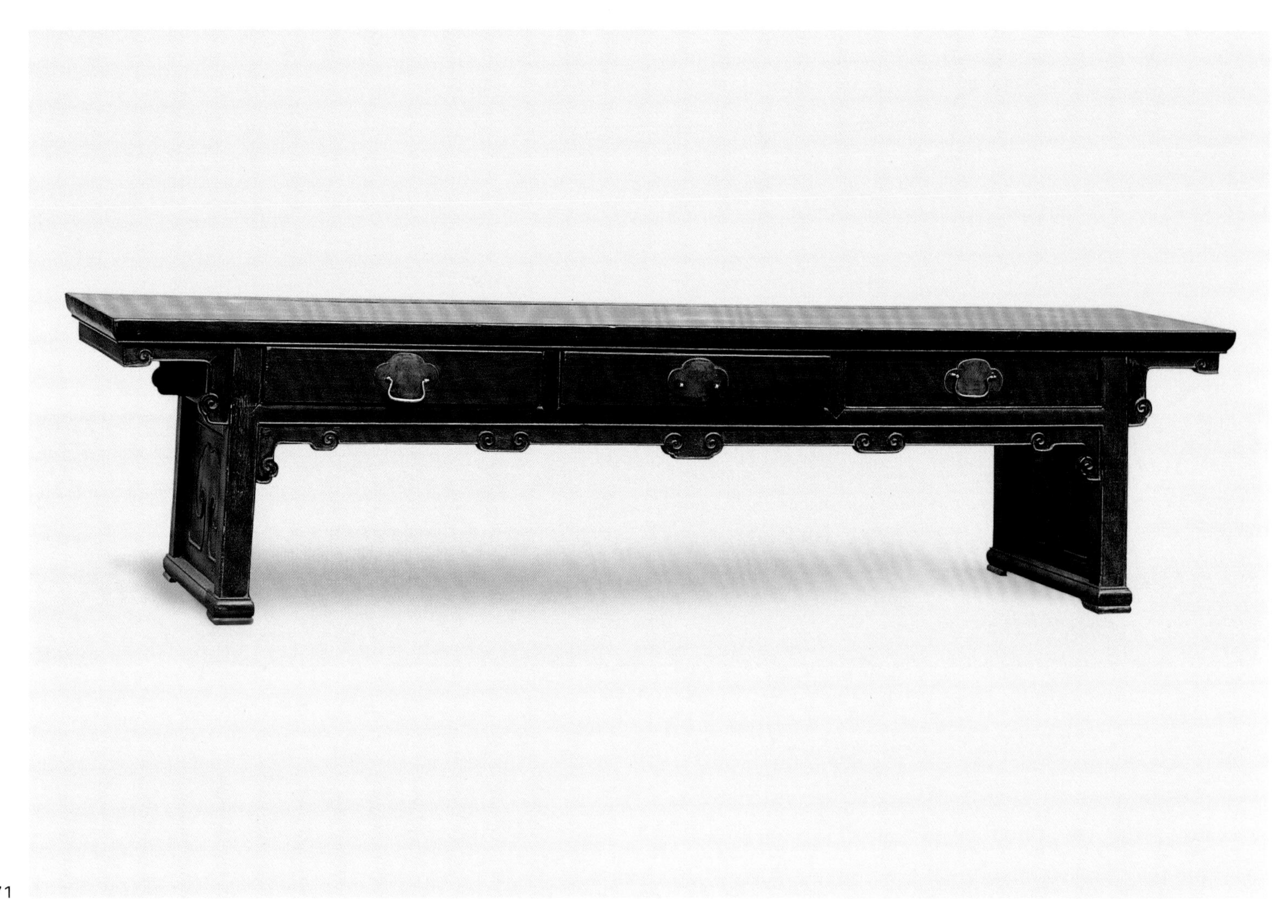

71

①

71. 清鸂鶒三屉大炕案
191×48.5、高48厘米
王世襄藏
① 侧面云纹挡板特写

①

72. 明黄花梨三足香几

面径43.3 高89.3厘米

王世襄藏

① 香几牙子的卷草纹浮雕

73

①

73. **明铁力高束腰五足香几**（附实测图）
面径61、肩径67、高89厘米
王世襄藏
① 高束腰部分的绦环板及鱼门洞特写

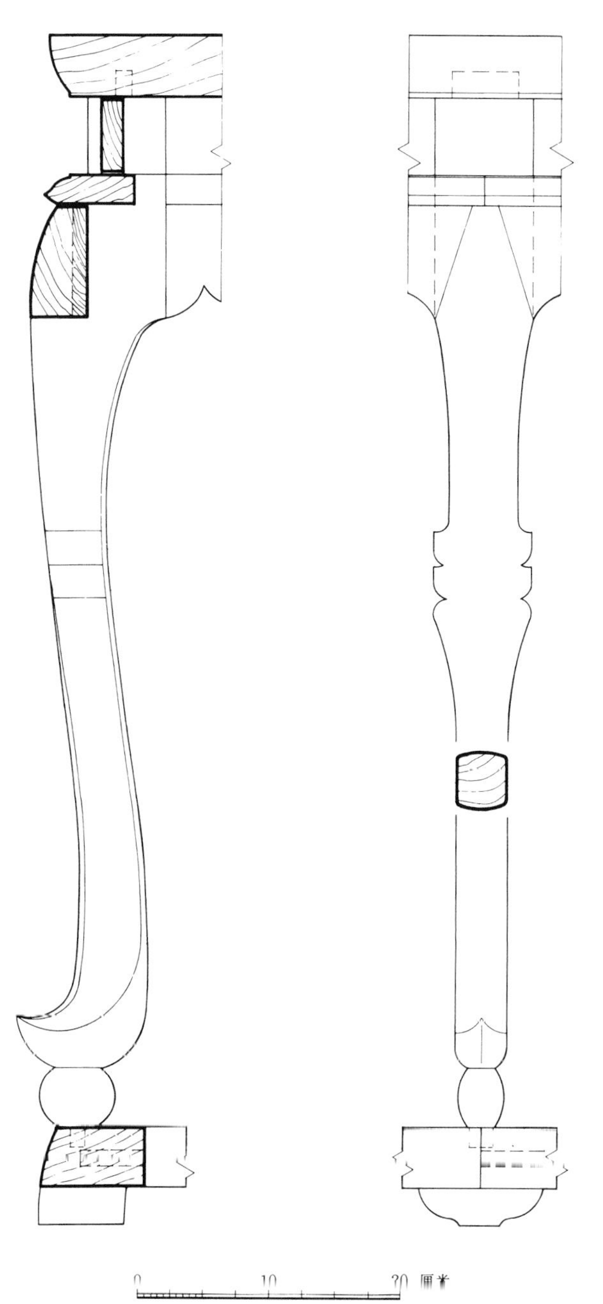

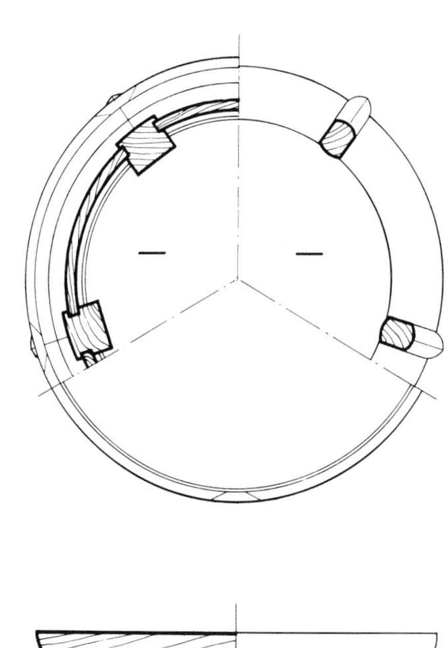

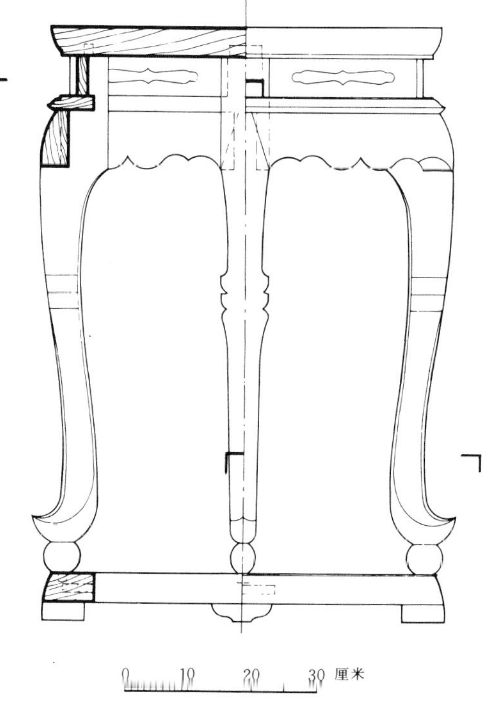

74

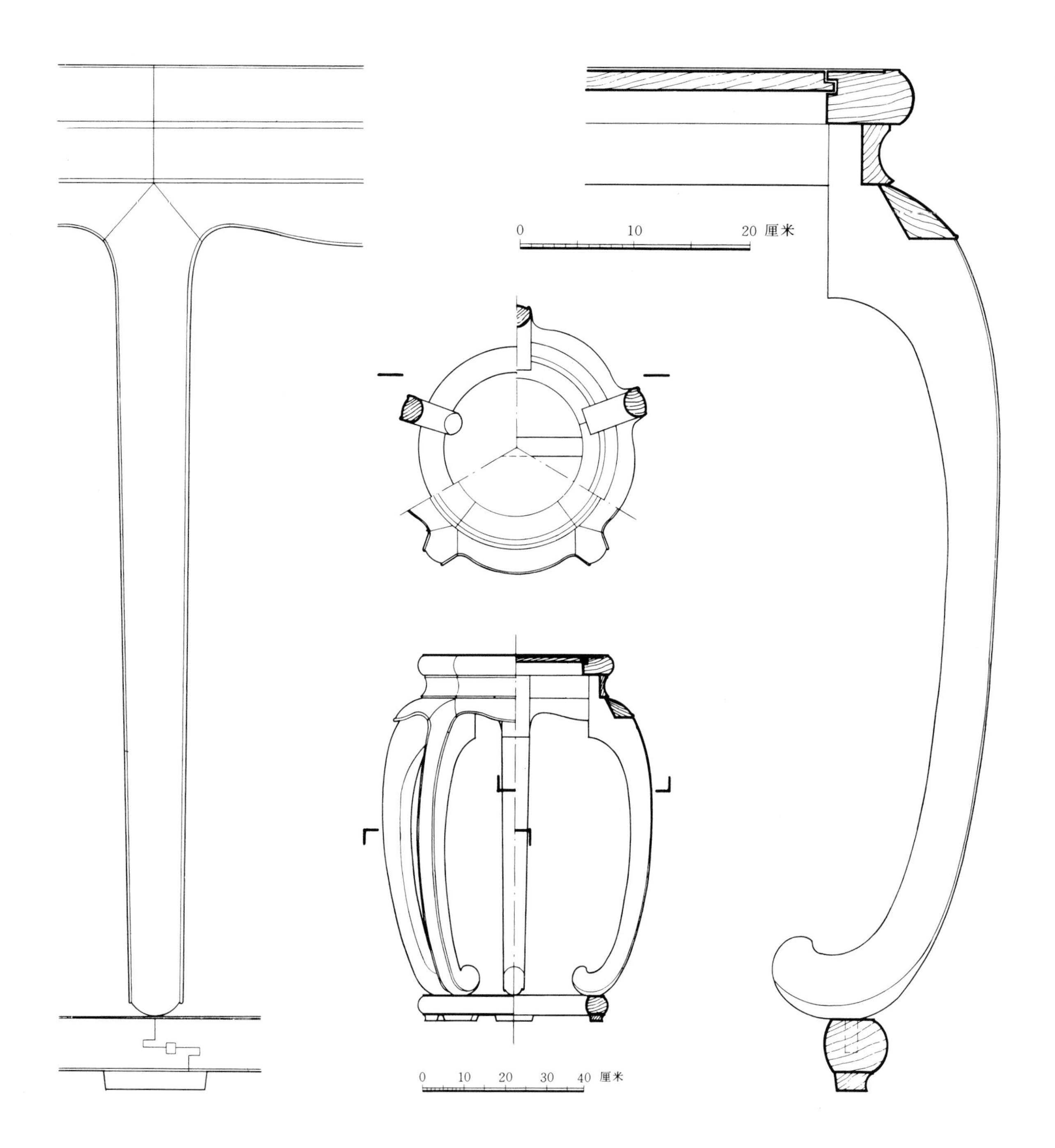

74 **明黄花梨五足内卷香几**（附实测图）
面径47.2、高85.5厘米
陈梦家夫人藏

75

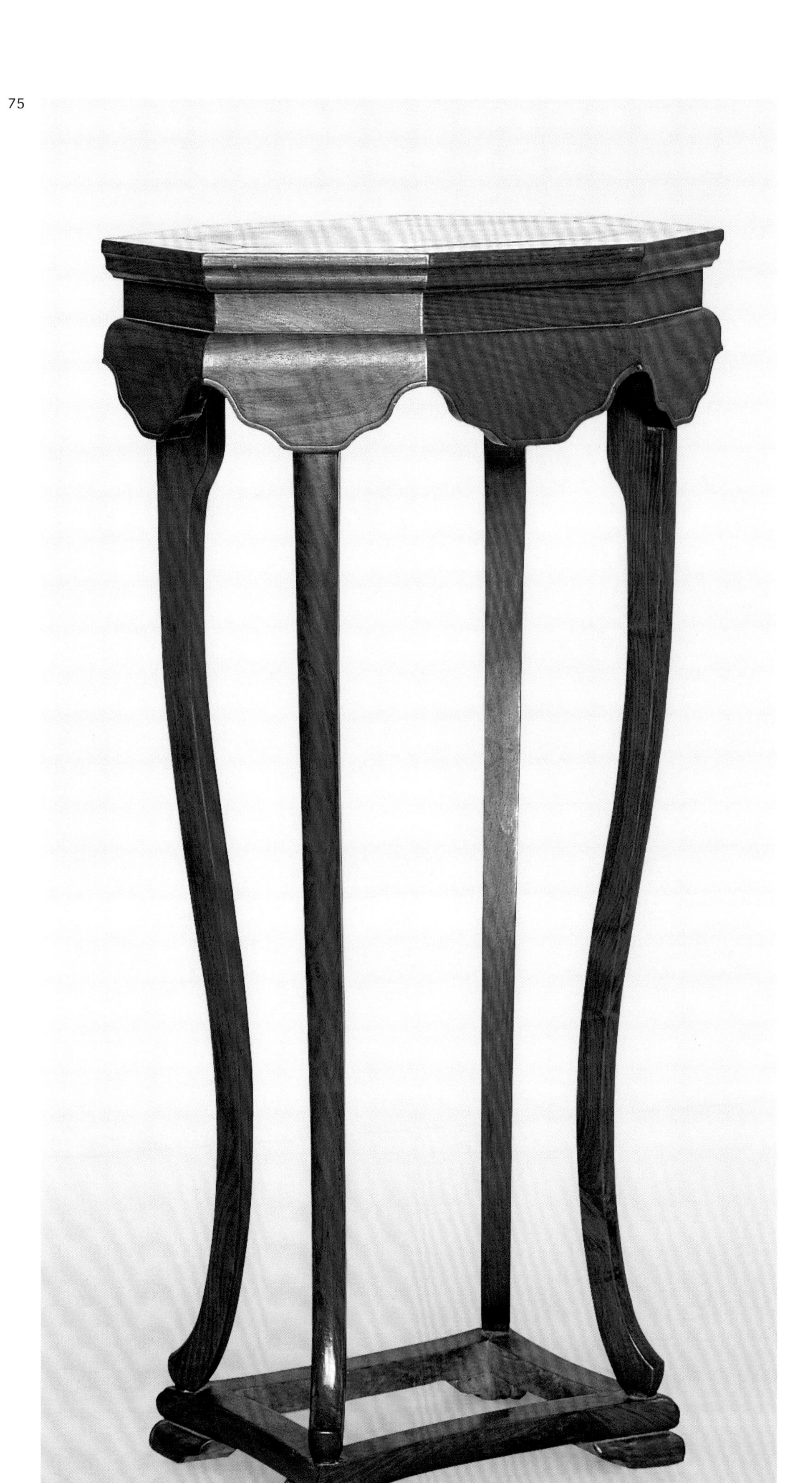

75. **明黄花梨四足八方香几**
面50.5×37.2、高103厘米
王世襄藏

①

76

76. 明黄花梨高束腰六足香几
面50.5×39.2，高73厘米
故宫博物院藏
① 双层高束腰特写

77

77. **明黄花梨夹头榫酒桌**
79×57、高76厘米
陈梦家夫人藏

78. 明黄花梨夹头榫酒桌

110×55、高81厘米

北京硬木家具厂藏

① 云纹牙头特写

79. **明铁力插肩榫酒桌**
94.7×50、高72厘米
王世襄藏

79

80

①

80. 明黄花梨插肩榫酒桌

106×54、高[illegible]厘米

北京硬木家具厂藏

① 镶绿色纹石的桌面

81

81. 清红木无束腰裹腿直枨仰俯山棂格半桌
97×63、高82厘米
北京硬木家具厂藏

82. 清南柏无束腰直枨加矮老半桌
98.5×67、高84.5厘米
王世襄藏

①

83. **明黄花梨有束腰斗栱式半桌**
98.5×64.3、高87厘米
颐和园藏
① 半桌一角

84. **明黄花梨有束腰矮桌展腿式半桌**
104×64.2、高87厘米
王世襄藏
① 半桌一角
② 正面的牙条双凤朝阳纹浮雕
③ 侧面局部

83

84

②

①

③

85. **明黄花梨无束腰罗锅枨加卡子花方桌**
93.2×93.2、高80厘米
陈梦家夫人藏

85

86

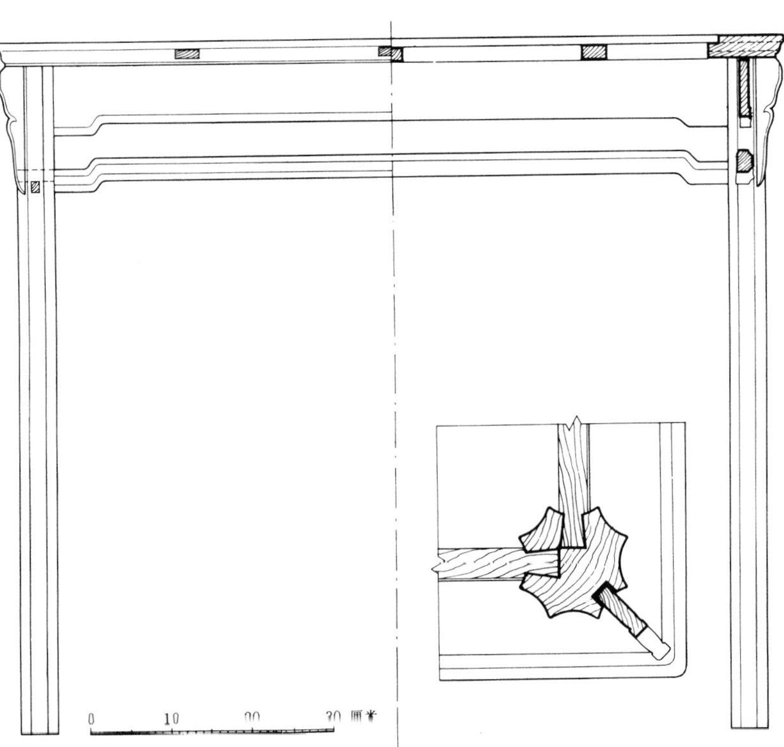

86. 明黄花梨一腿三牙罗锅枨方桌（附页测图）
98×98、高83厘米
张安藏

87. 明黄花梨一腿三牙罗锅枨小方桌
82×82、高81厘米
王世襄藏
① 方桌一角

①

88

①

88. 明黄花梨　腿二牙罗锅枨加卡子花方桌
89×89，高85.5厘米
王世襄藏
① 方桌罗锅枨角牙卡子花特写

89

①

89. **明黄花梨无束腰攒牙子方桌**
102.5×103.8、高84厘米
故宫博物院藏
① 方桌一角

90. 明黄花梨有束腰喷面大方桌
128×128、高89.2厘米
王世襄藏

90

91

①

91. 清黄花梨有束腰矮桌展腿式方桌
93.5×91.2、高86.5厘米
故宫博物院藏
① 方桌的花卉纹浮雕及透雕

92

93

92. 明铁力板足开光条几
191.5×50、高87厘米
陈梦家夫人藏

93. 清紫檀无束腰裹腿罗锅枨加矮老条桌
106×35.5、高83.5厘米
颐和园藏

①

94. **明黄花梨无束腰罗锅枨条桌**

112×54.5、高87厘米

北京硬木家具厂藏

① 条桌牙头云纹浮雕兼透雕

94

95

95. 清紫檀壶门牙条条桌
105×33、高83.5厘米
颐和园藏

96

①

96. 清紫檀一腿三牙条桌
105×36.5、高82厘米
故宫博物院藏
① 条桌侧面特写

97. **明黄花梨四面平带翘头条桌**
112.5×48.5、通高86厘米
北京硬木家具厂藏
① 条桌暗抽屉拉开时的情况

①

97

98. 明黄花梨霸王枨条桌
98×48、高78.5厘米
陈梦家夫人藏

98

99

99. 明黄花梨高束腰条桌
98.5×48.5、高80厘米
北京硬木家具厂藏

100

①

100. 明黄花梨夹头榫翘头案（附实测图）
126.2×39.7、通高86.2厘米
王世襄藏
① 夹头榫部分特写
② 侧面

②

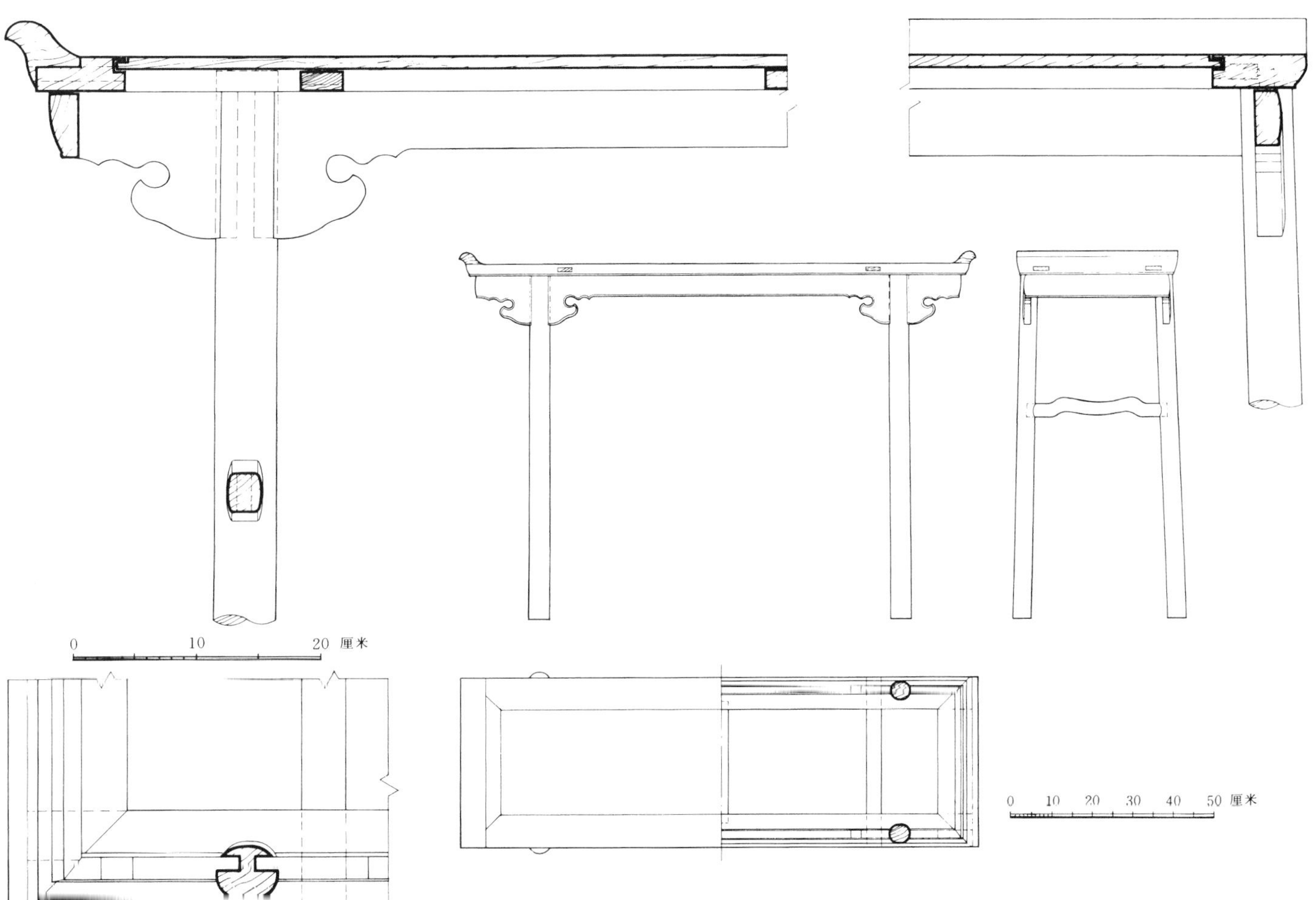

101

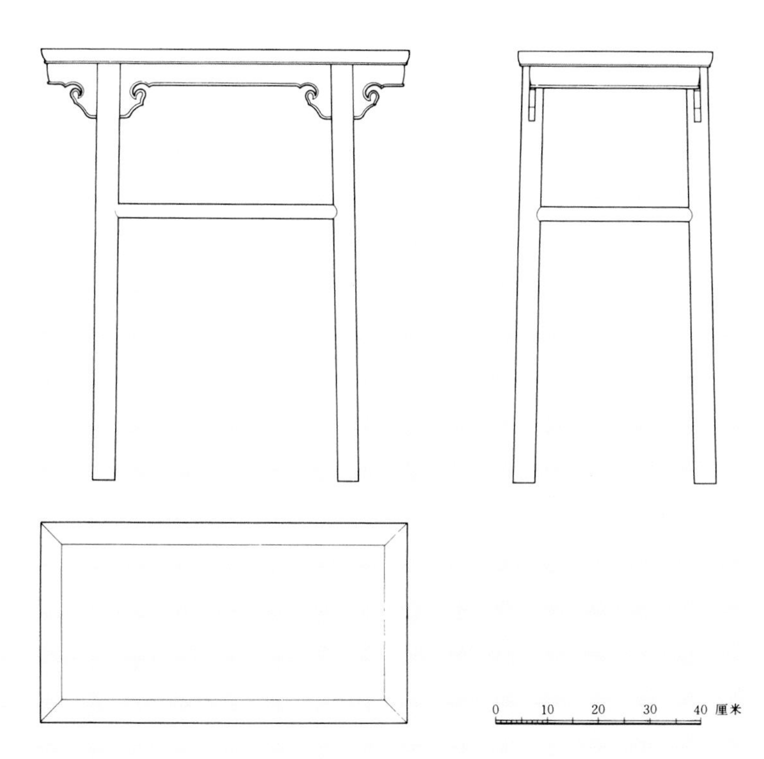

101. 明黄花梨夹头榫带屉板小平头案（附实测图）
71.2×37.7、高81厘米
陈梦家夫人藏

102. 明鸂鶒夹头榫直棂式平头案
87×43、高79.5厘米
王世襄藏
① 侧面

103

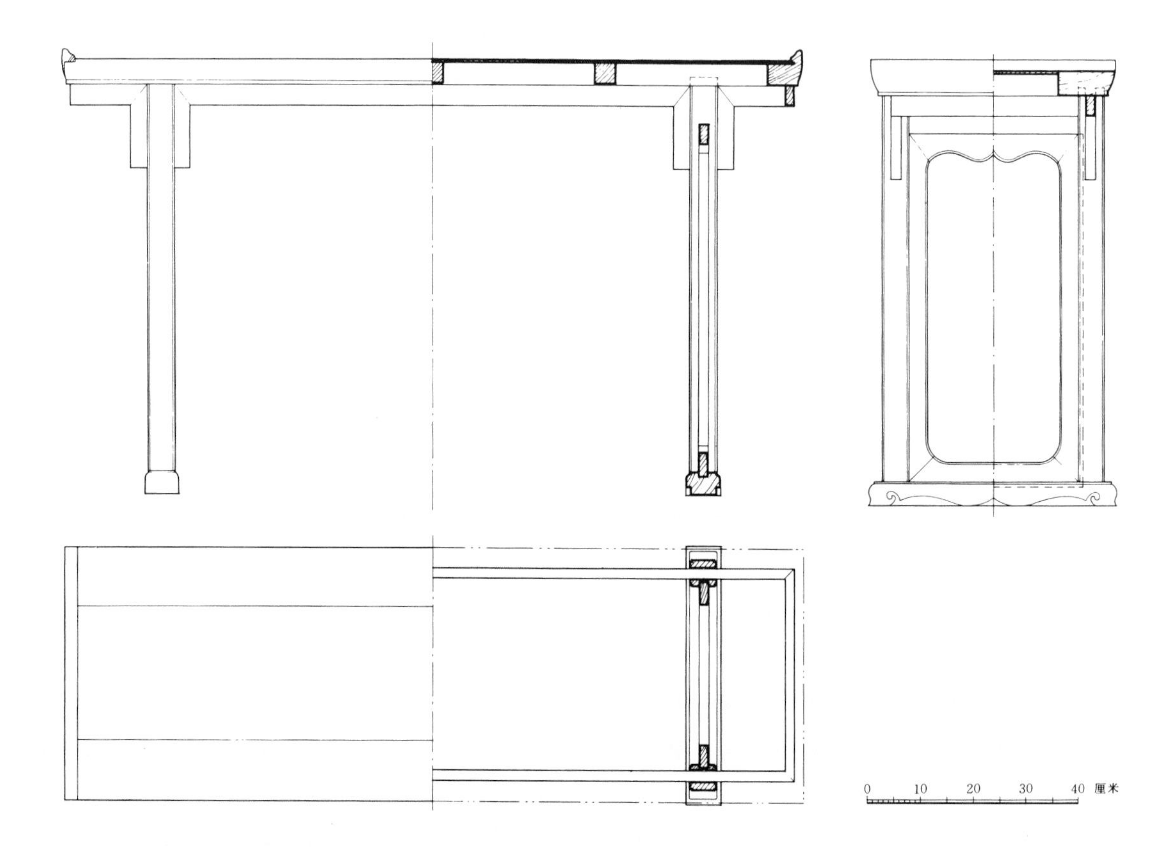

①

103. 明黄花梨夹头榫翘头案（附实测图）
141×47、通高83厘米
王世襄藏
① 侧面
② 案面特写：
黄花梨面心板装入翘头下的槽口内，
天然花纹如行云流水。

②

104

①

104. 明黄花梨夹头榫大平头案

350×62.7、高93厘米

王世襄藏

① 大案与长方凳合影，从比例上可见大案之长大。

105

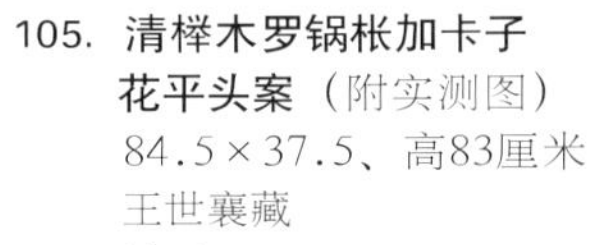

105. **清榉木罗锅枨加卡子花平头案**（附实测图）
84.5×37.5、高83厘米
王世襄藏
① 侧面

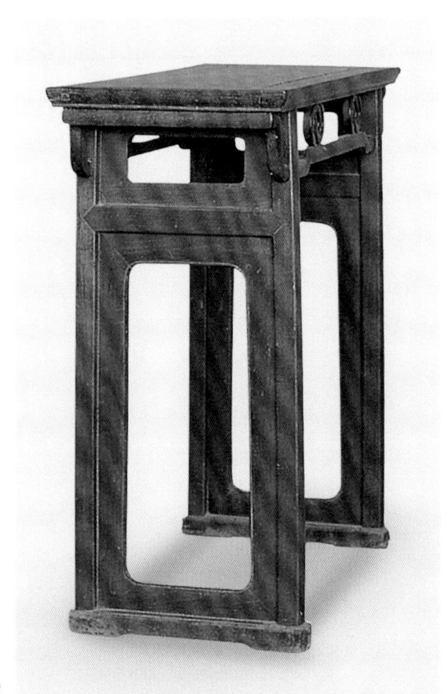

①

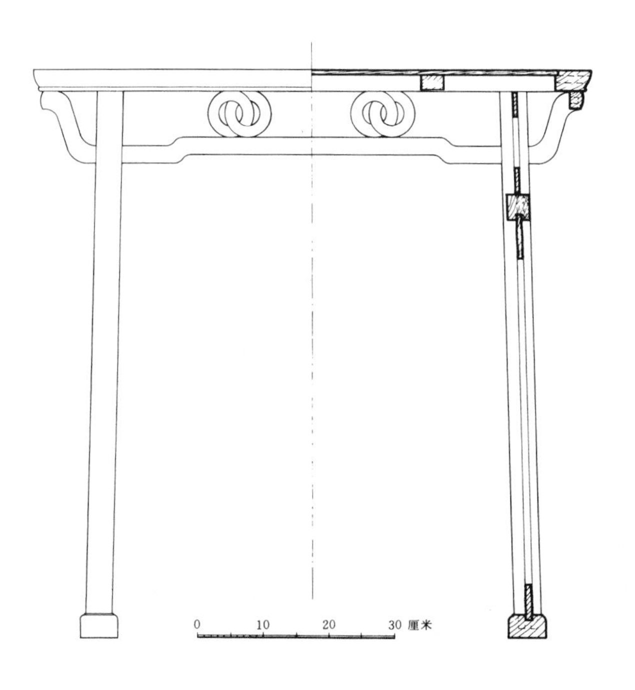

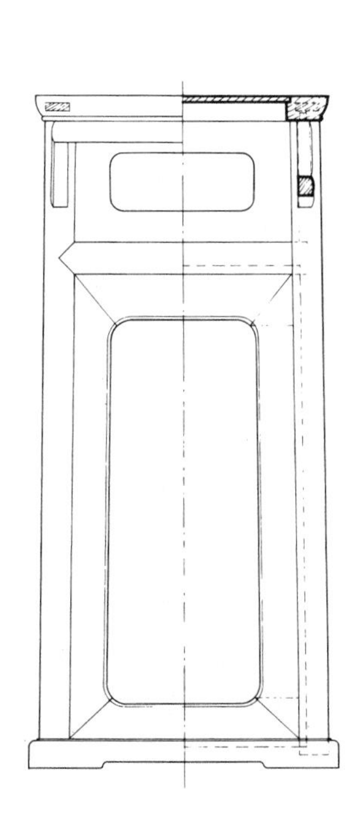

106

①

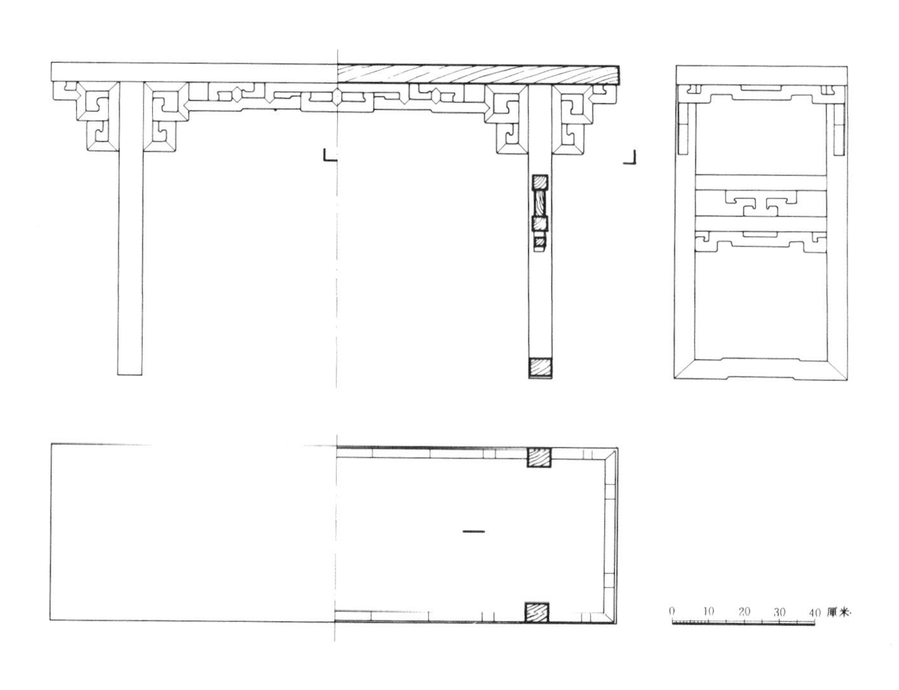

106. 明黄花梨攒牙子着地管脚枨平头案（附实测图）
158×47.4、高84.7厘米
陈梦家夫人藏
① 侧面

107. **明黄花梨插肩榫翘头案**（附实测图）
140×28、通高87厘米
王世襄藏
① 插肩榫部分特写

①

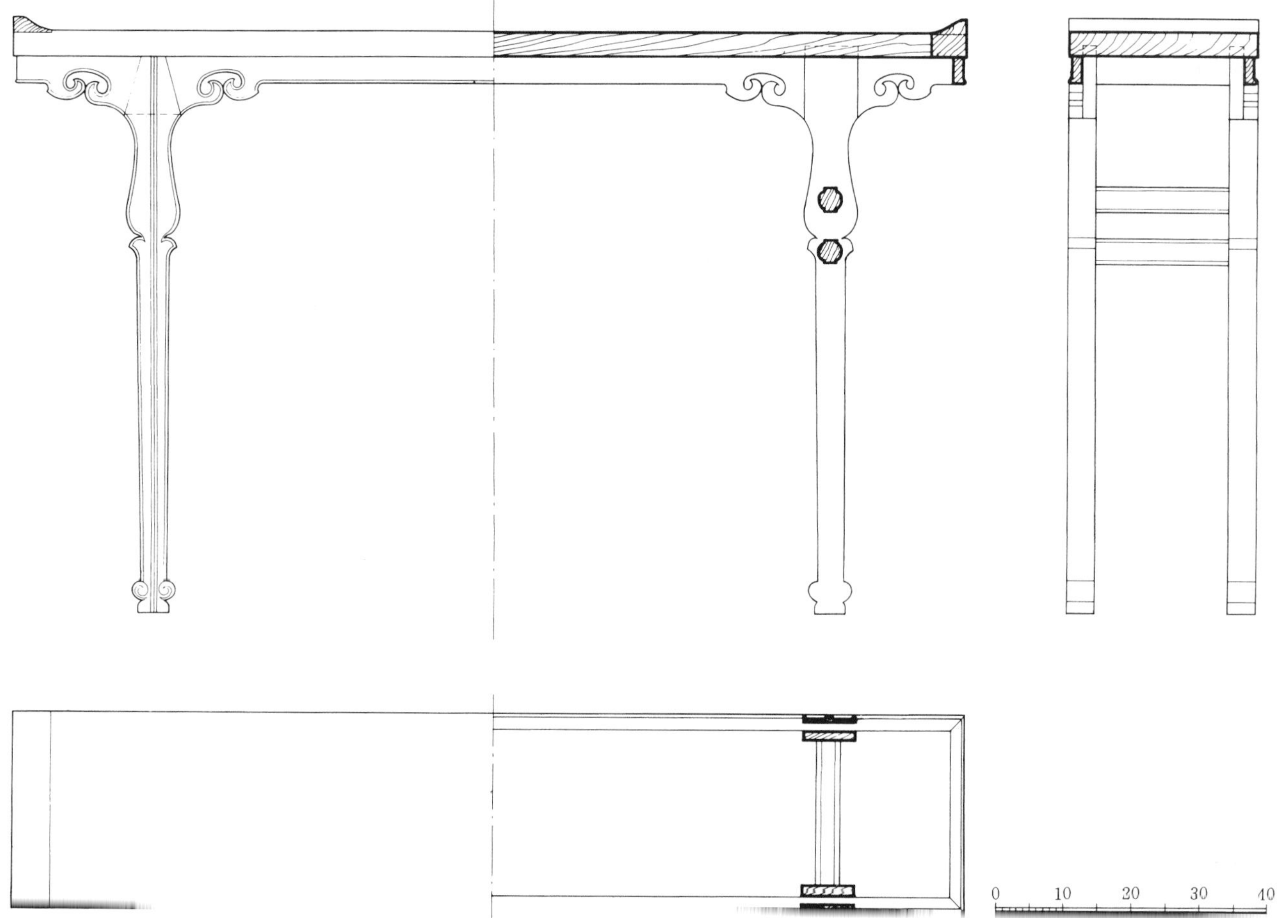

108

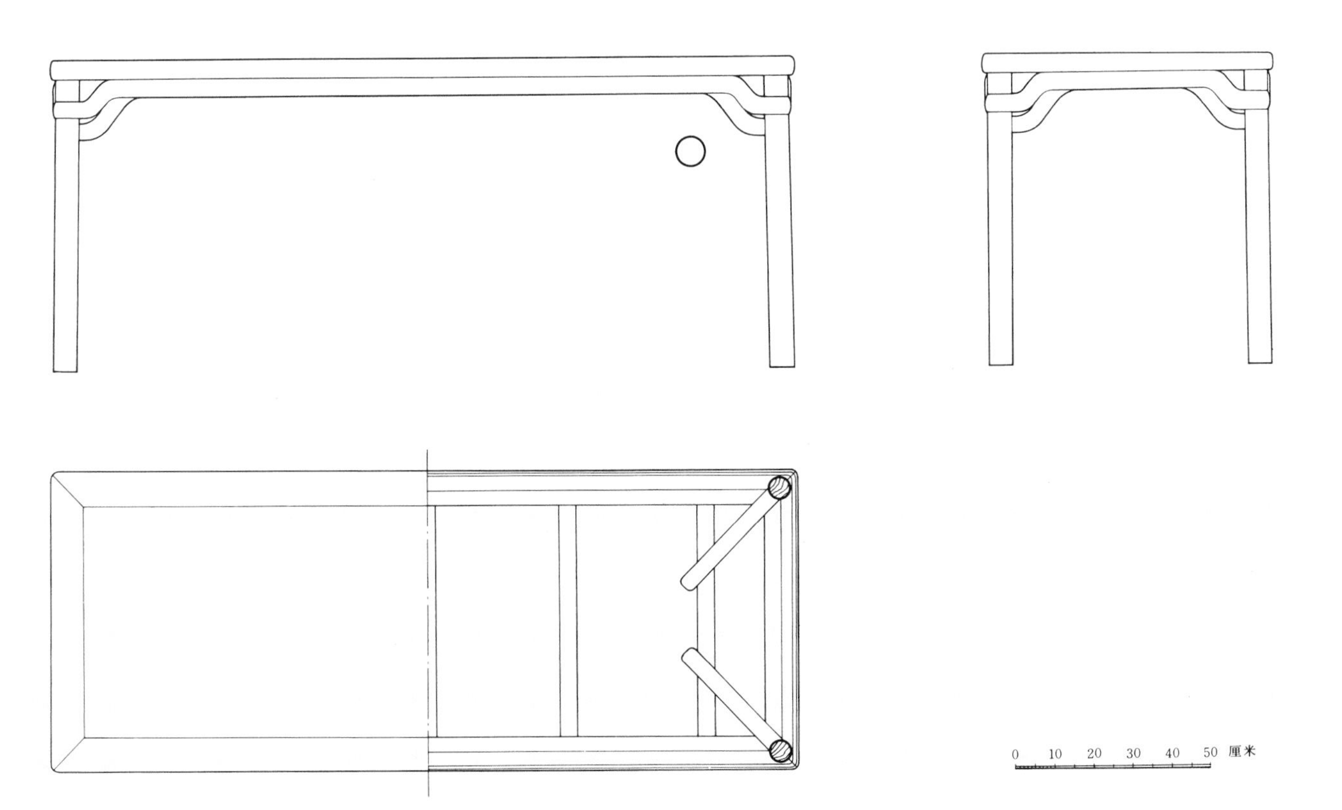

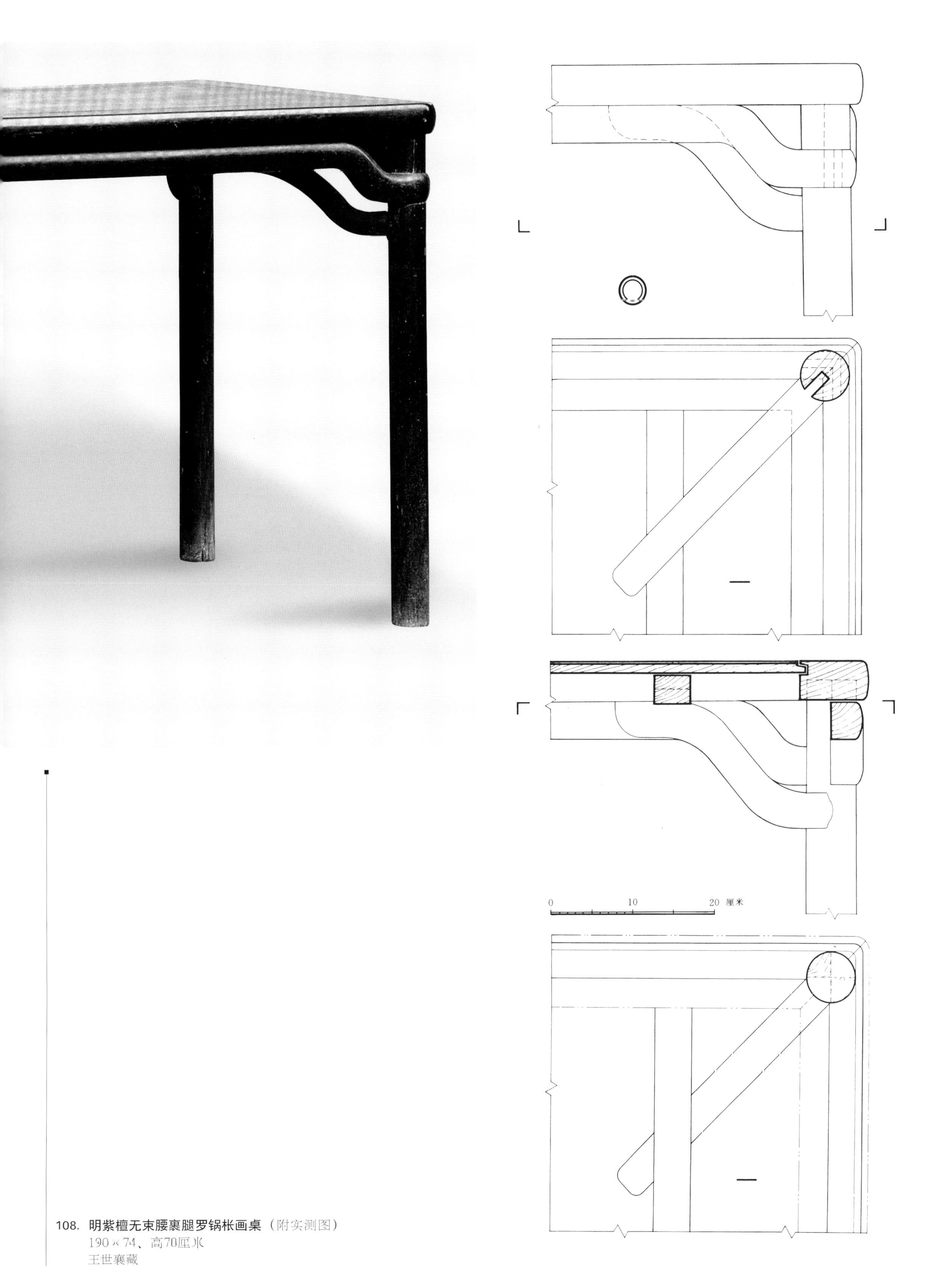

108. 明紫檀无束腰裹腿罗锅枨画桌（附实测图）
190×74、高70厘米
王世襄藏

109

①

②

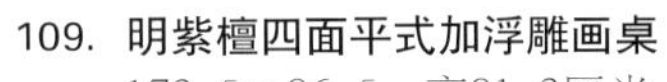

109. 明紫檀四面平式加浮雕画桌

173.5×86.5、高81.3厘米

浙江省博物馆藏

① 侧面特写

② 侧面一角

①

110. 明紫檀有束腰几形画桌
面171×74.4、肩180×85、高84厘米
故宫博物院藏
① 侧面

110

①

111. 明黄花梨夹头榫画案
151×69、高82.5厘米
王世襄藏
① 夹头榫部分特写

112

①

②

112. 明黄花梨夹头榫小画案
170×70，高82厘米
北京木材厂藏
① 夹头榫部分特写
② 大理石案面

113

①

113. 明黄花梨夹头榫画案
138×75.5、高85厘米
故宫博物院藏
① 侧面

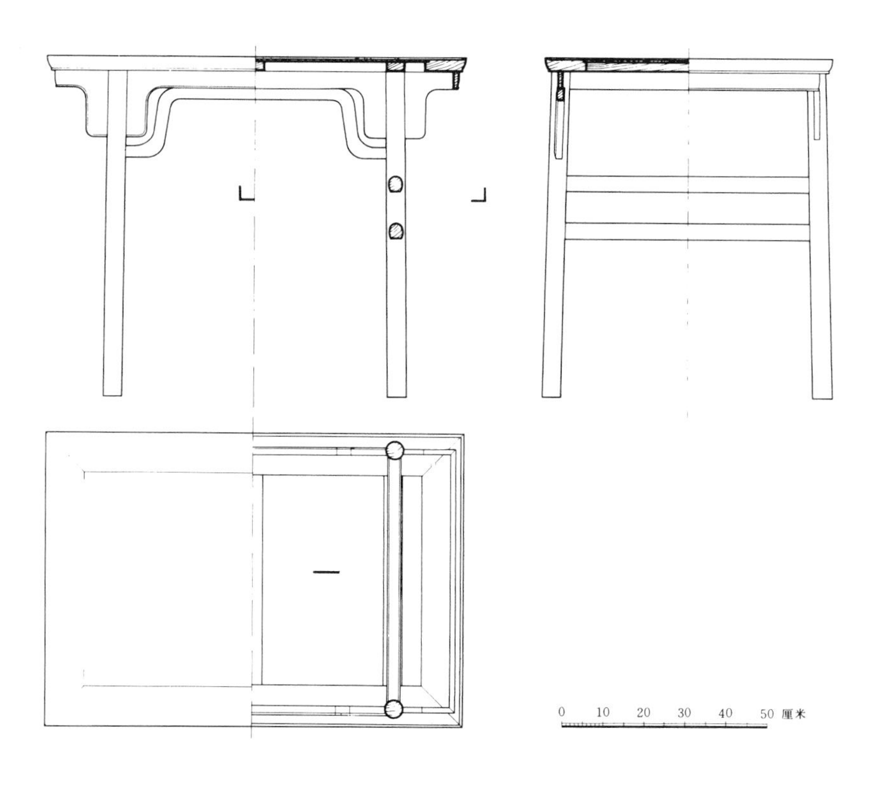

114. 明黄花梨夹头榫高罗锅枨小画案（附实测图）
102×70.2、高81.5厘米
陈梦家夫人藏

115

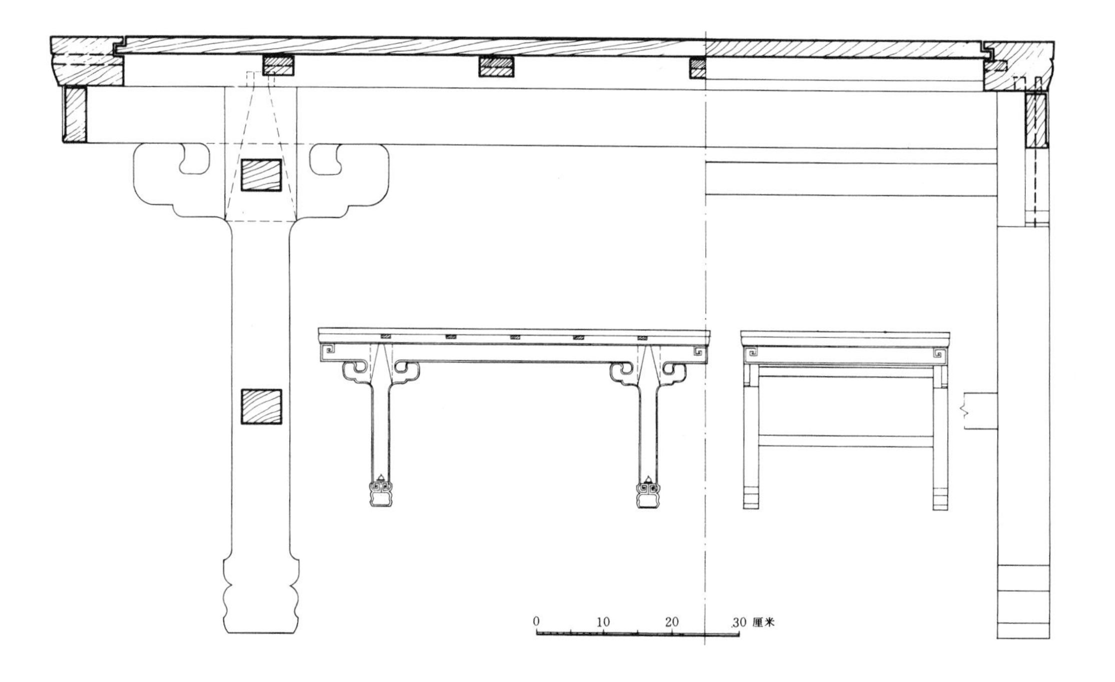

①

②

③

115. 明紫檀插肩榫大画案（附实测图）
192.8×102.5、高83厘米
王世襄藏
① 案面及侧面牙条卸下后的情况
② 插肩榫部分特写（牙头、牙条分别安装）
③ 画案牙条溥侗题识的拓本

116. **明黄花梨架几式书案**
面板192.2×69.5、厚6、几69.5×36.5、
高78.5、通高84.5厘米
北京市文物商店藏

116

117

①

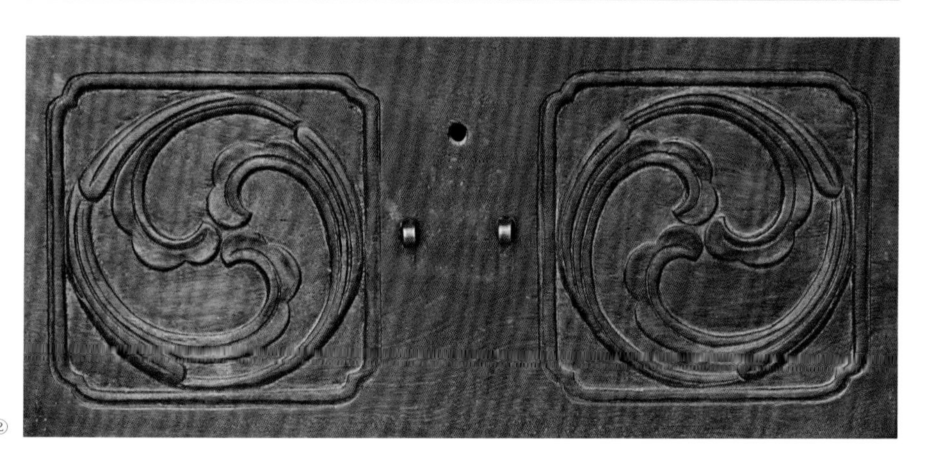

②

117. 明铁力四屉桌

174×51.5、高87厘米

故宫博物院藏

① 抽屉的花卉纹浮雕

② 抽屉的吉祥草纹浮雕

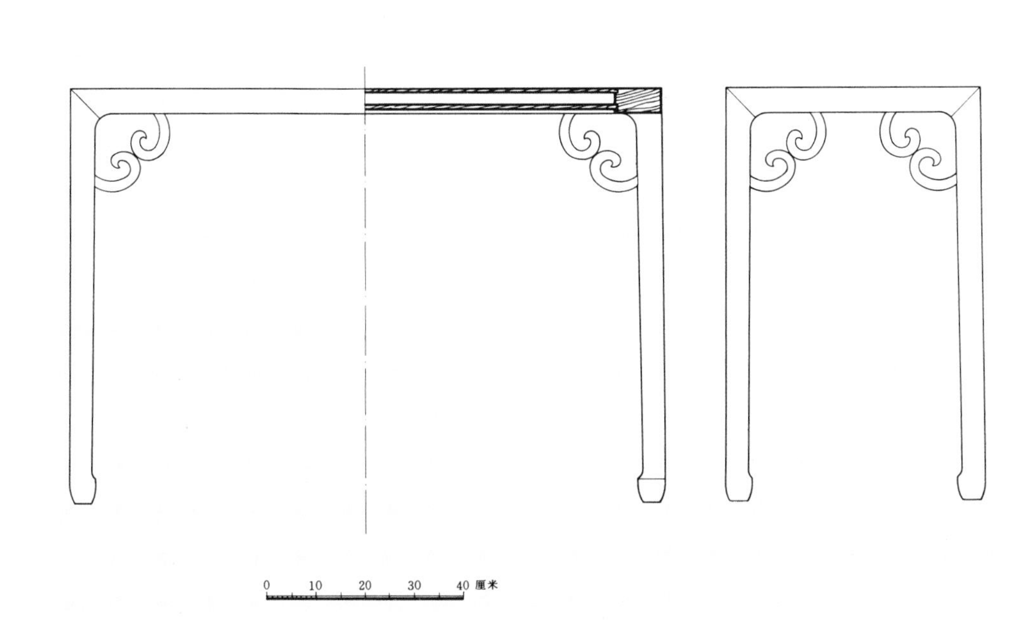

118. 明黄花梨两卷角牙琴桌（附实测图）
120×51.8、高82厘米
陈梦家夫人藏

119

①

119. 明楠木嵌黄花梨有束腰加霸王枨供桌
152×82.5、高91厘米
法源寺藏藏
① 腿足象纹镶嵌

床榻类

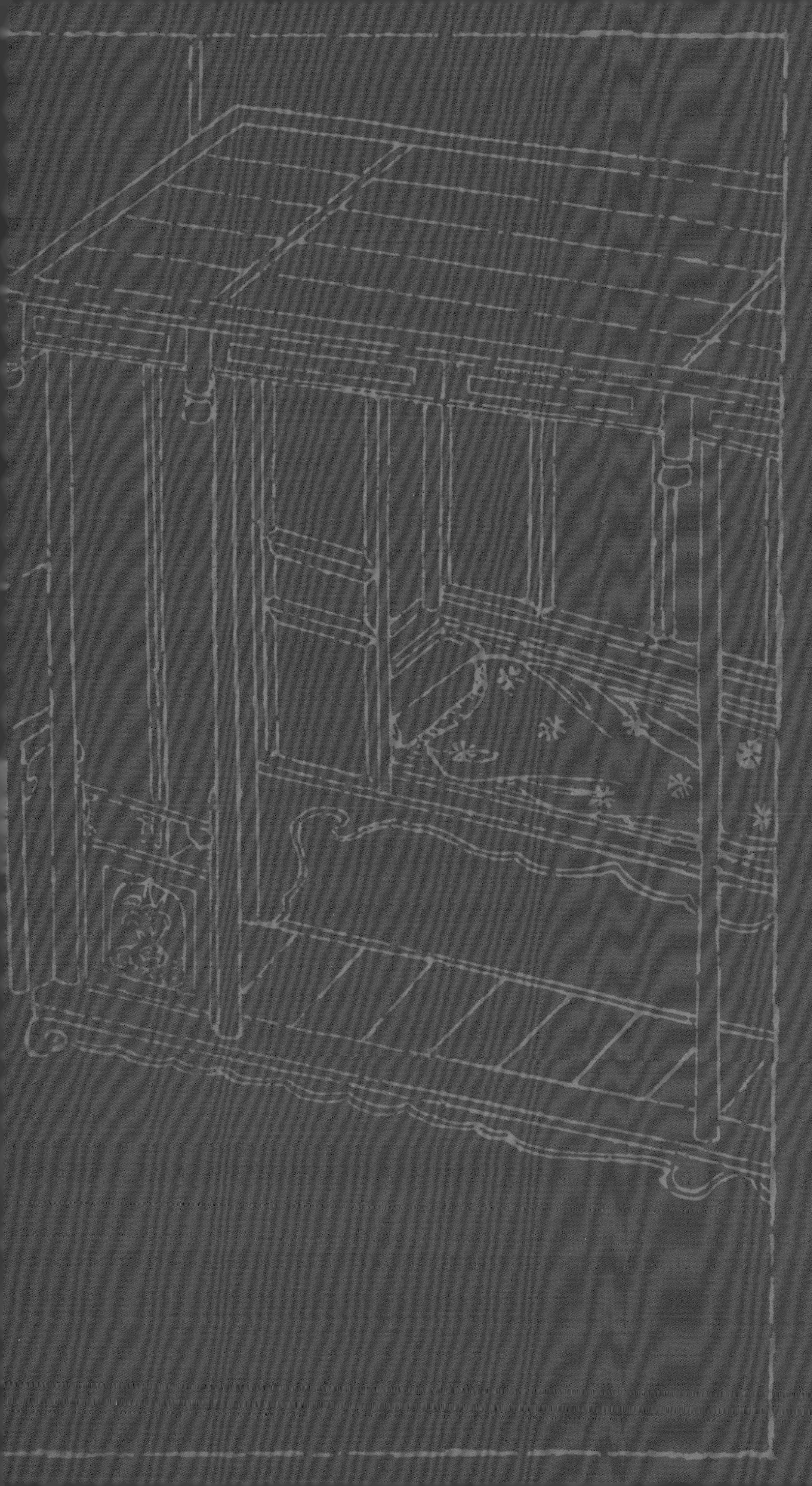

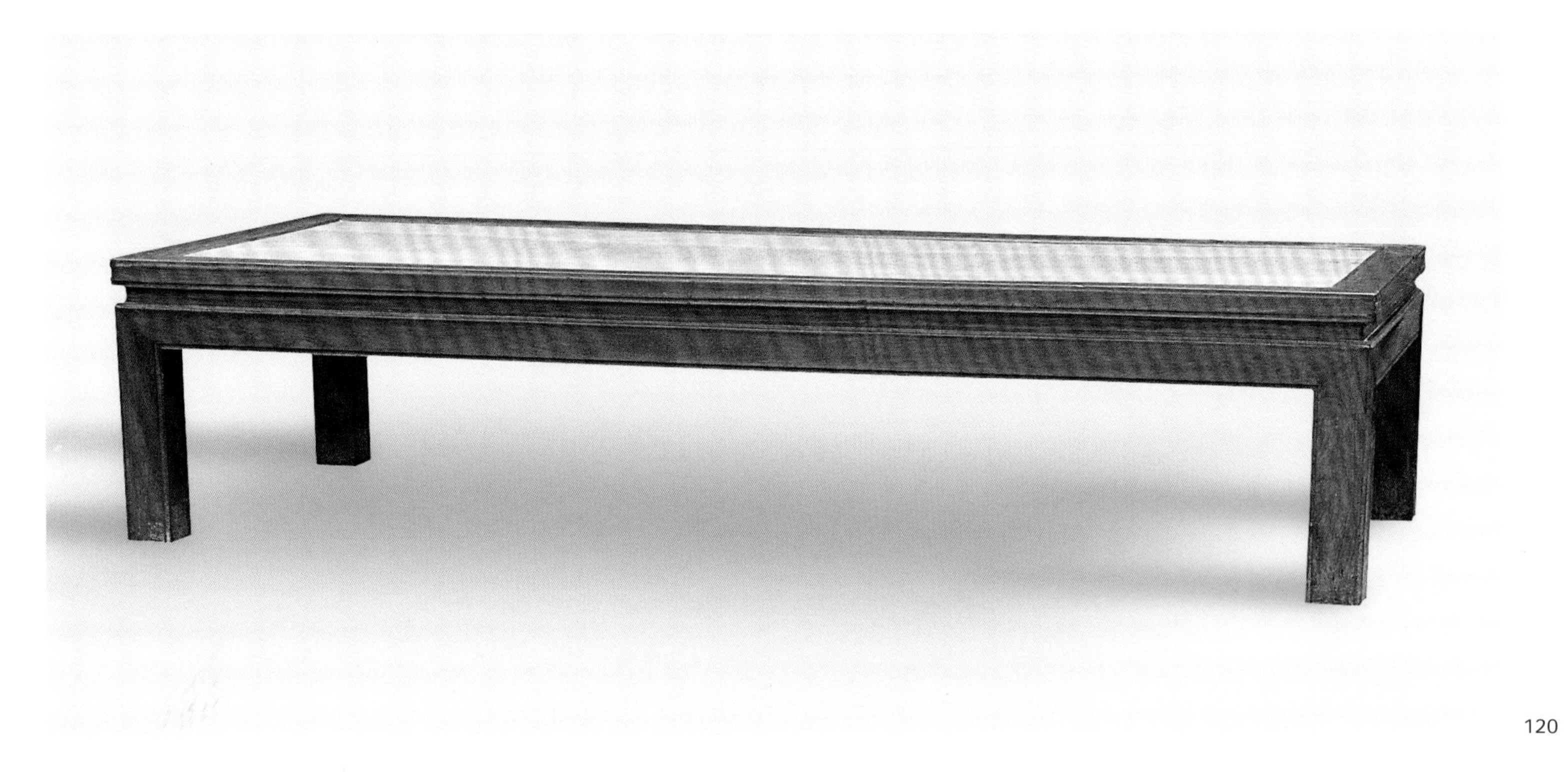

120

121

120. 明黄花梨有束腰直足榻
206.5×80.2、高46.4厘米
陈梦家夫人藏

121. 明黄花梨六足折叠式榻
208×155、高49厘米
故宫博物院藏

122. 明紫檀三屏风独板围子罗汉床
197.5×95.5、通高66厘米
朱光沐夫人藏

122

124

124. 明铁力床身紫檀围子三屏风罗汉床
221 × 122、通高83厘米
王世襄藏
① 攒接曲尺围子特写

①

123

123. 清榉木三屏风攒边围子罗汉床
200×92、通高88厘米
王世襄藏
① 正面围子的高浮雕螭虎灵芝纹

①

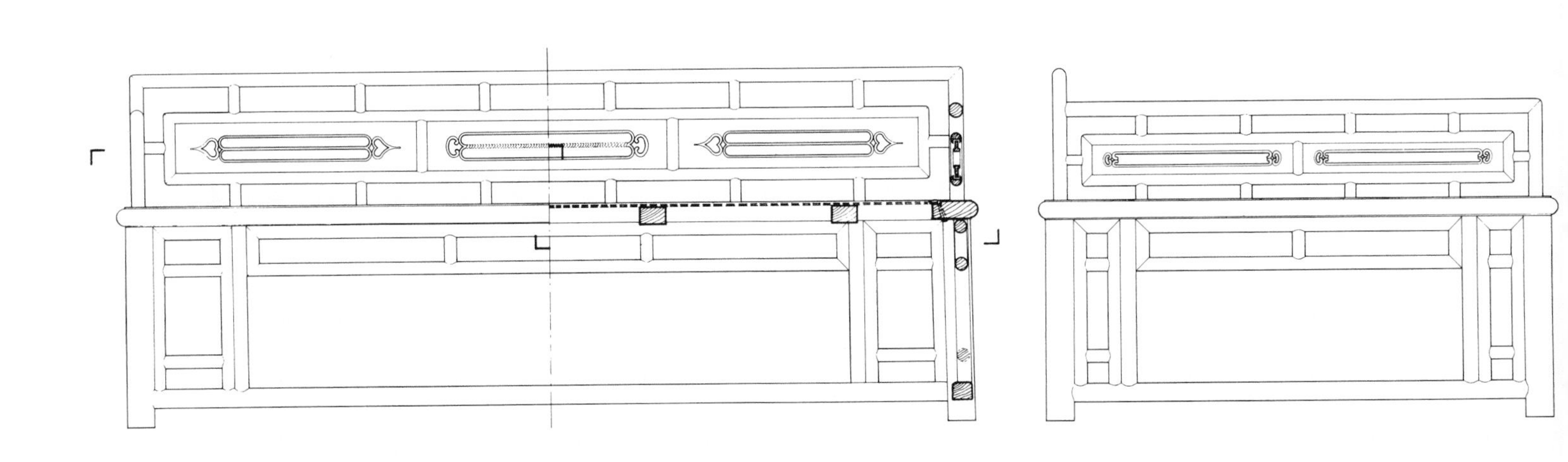

125

125. 清紫檀三屏风绦环板围子罗汉床（附实测图）
216×130、通高85厘米
王世襄藏
① 绦环板特写

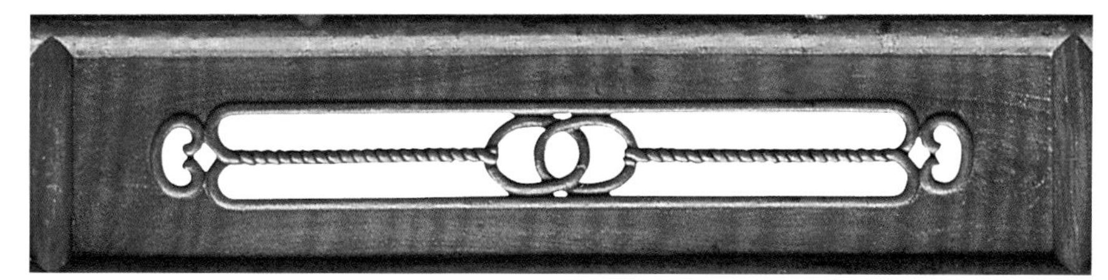

①

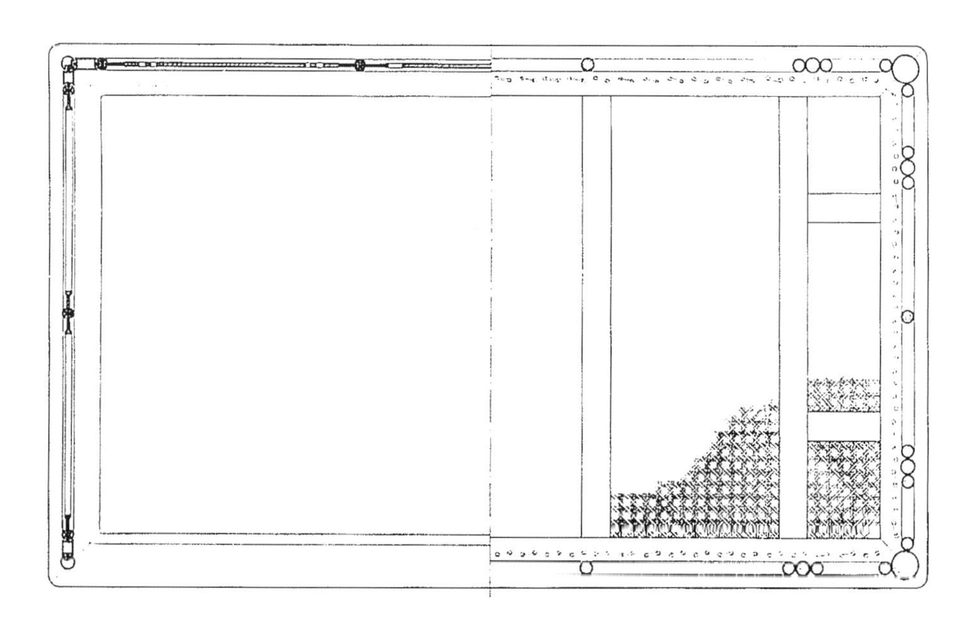

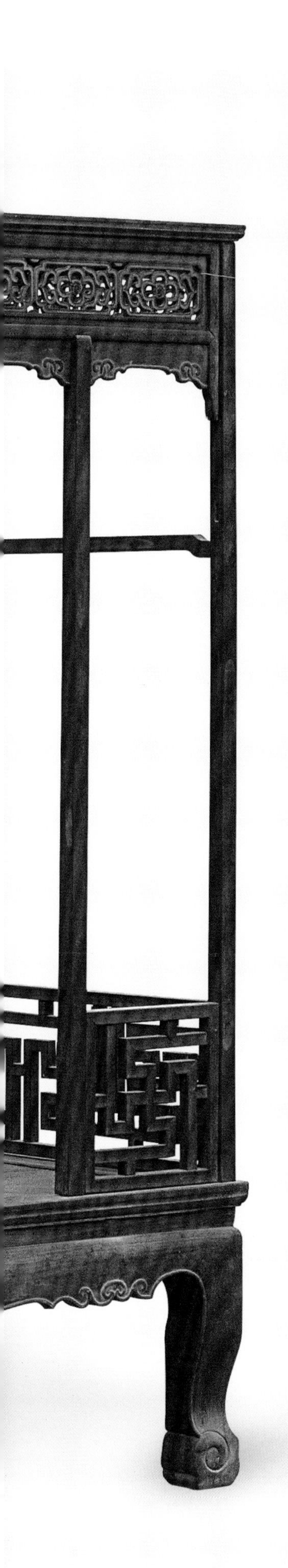

①

126. 明黄花梨带门围子架子床
218.5×147.5、通高231厘米
故宫博物院藏
① 侧面

128

128. **明黄花梨月洞式门罩架子床**
247.5×187.8、通高227厘米
故宫博物院藏
① 床身装上角柱及围子后的情况
② 床身
③ 架子床一角
④ 正面床围子特写（四簇云纹加十字）
⑤ 正面牙条及高束腰浮雕龙纹及花鸟纹
⑥ 床身一角

①

②

④

⑤

③

⑥

127

①

②

127. **明黄花梨架子床围子透雕残件**
侧面围子透雕129×27、厚2.4厘米
门围子透雕34.2×26.2、厚2.4厘米
王世襄藏
① 侧面围子螭纹透雕
② 门围子螭纹透雕

129. 明紫檀有束腰腰圆形脚踏
72.5×36、高17厘米
故宫博物院藏

129

柜架类

130

130. **明黄花梨三层架格**（附实测图）
103×43.6、高188厘米
陈梦家夫人藏

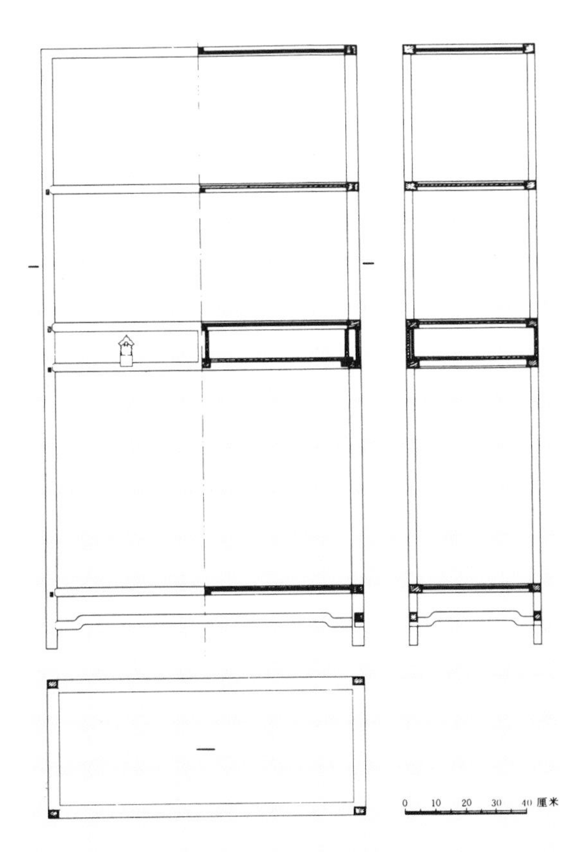

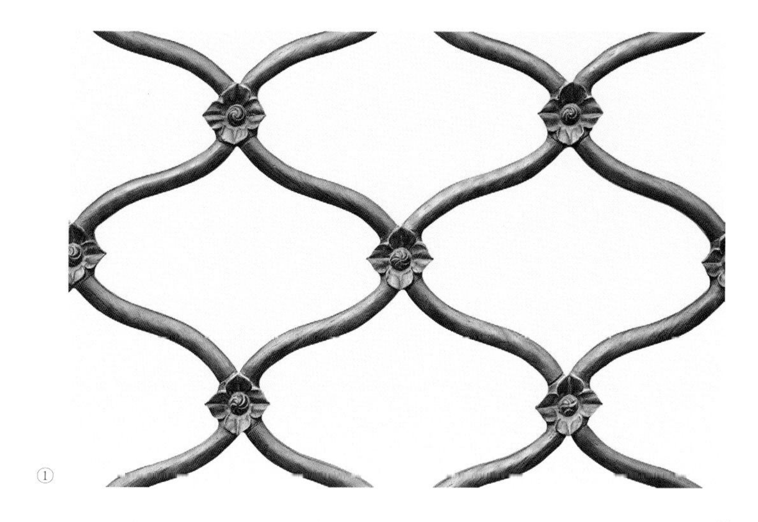

①

132

132. **明黄花梨透空后背架格**
107×45、高168厘米
陈梦家夫人藏
① 架格波纹后背特写

131

131. **明黄花梨品字栏杆架格**（附实测图）
98×46、高177.5厘米
王世襄藏
① 架格侧面特写（品字栏杆）
② 抽屉上的螭纹浮雕

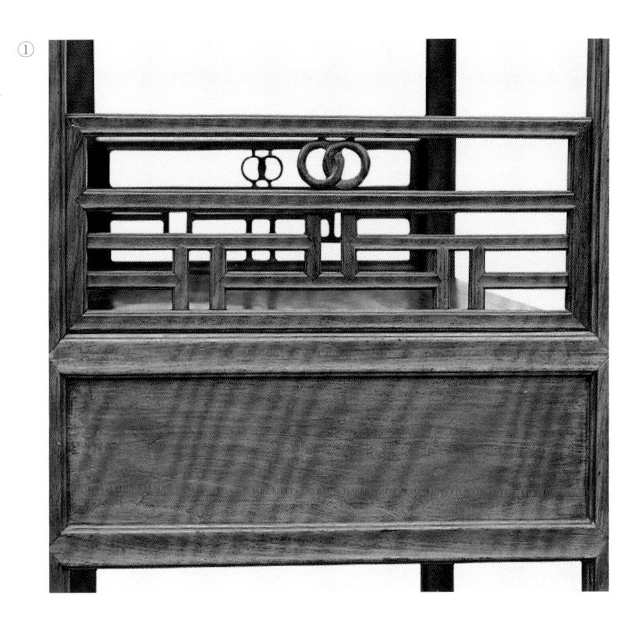

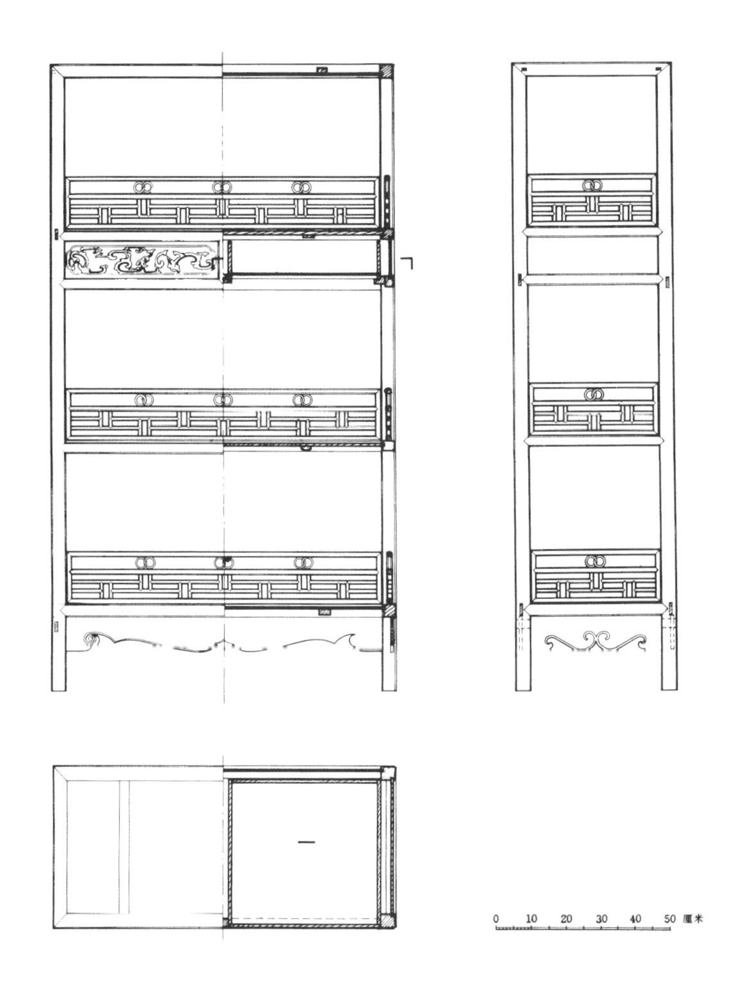

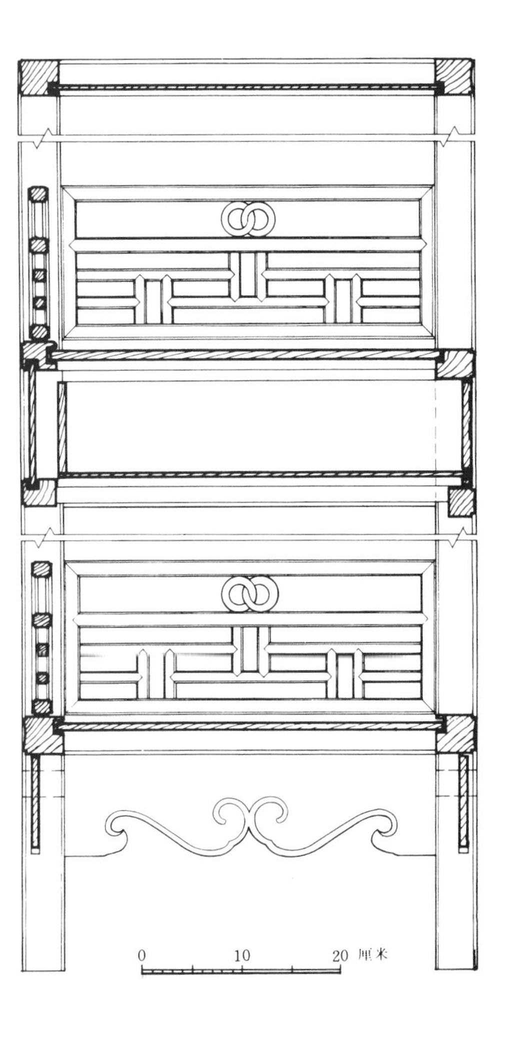

133

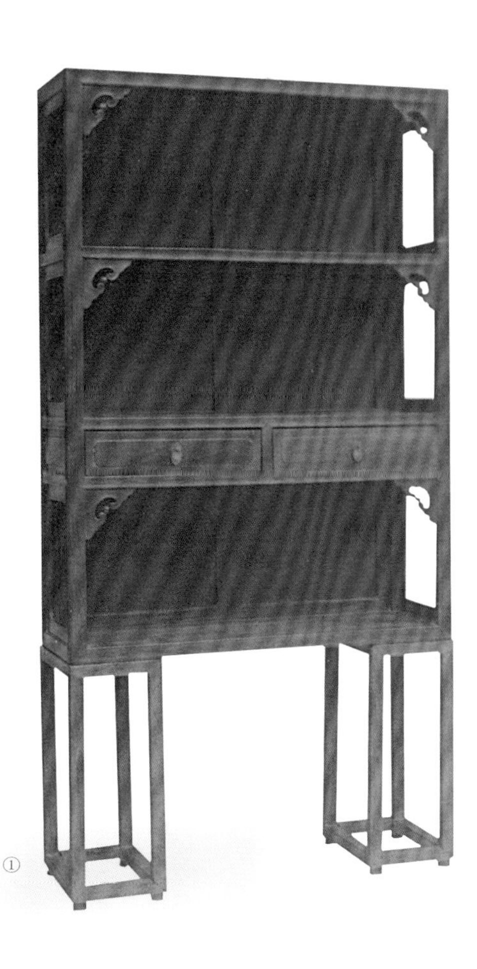
①

134. **明黄花梨几腿式架格**（架格下缺长方几一对）
架格91×40、高129厘米
王世襄藏
① 架格被两几支承起后的情形

134

133. **明紫檀三面攒接棂格架格**
101×51、高191厘米
故宫博物院藏

①

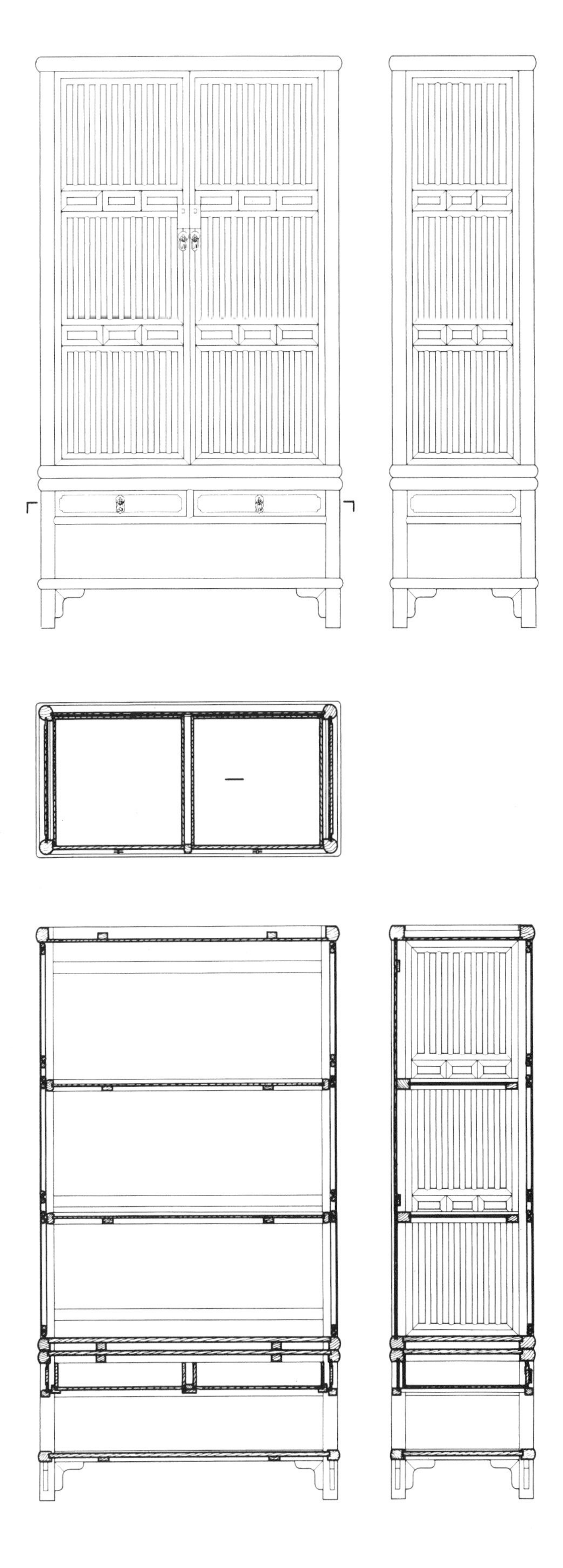

135. 明紫檀直棂架格（附实测图）

架格100.3×48.2、高132、

几100.3×48.2、高47、通高179厘米

陈梦家夫人藏

① 架格一门开启后的情况

136

136. 明黄花梨万历柜
柜113×55.5、高166、几115×57.5、高21、
通高187厘米
北京市文物商店藏

138. 明黄花梨上格双层亮格柜
119×50、高117厘米
故宫博物院藏

137

①

②

137. **明黄花梨雕花万历柜**

柜124.8×55.5、高172、

几126.5×57、高23.5、通高195.5厘米

黄青藏

① 亮格特写

② 柜门的花鸟纹浮雕

139. 明鸂鶒圆角炕柜
65.5×39.5、高64厘米
陈梦家夫人藏

140. 明黄花梨透空后背架格、鸂鶒圆角炕柜合影
陈梦家夫人藏

139

141

142

141. **明黄花梨圆角柜**
柜顶77×41、足底76×39.5、高130.5厘米
叶万法藏

142. **明榉木圆角柜**
柜顶94×49、足底95×50、高167厘米
王世襄藏

143

143. 明铁力五抹门圆角柜
柜顶98×52、足底97×51、
高187.5厘米
北京市文物局藏

①

145

145. 清黄花梨方角柜
82.5×47、高161厘米
北京市文物局藏
① 一柜门开启后的情况

144

144. 明黄花梨变体圆角柜（附实测图）
106×53、高175.5厘米
王世襄藏
① 一柜门开启后的情况

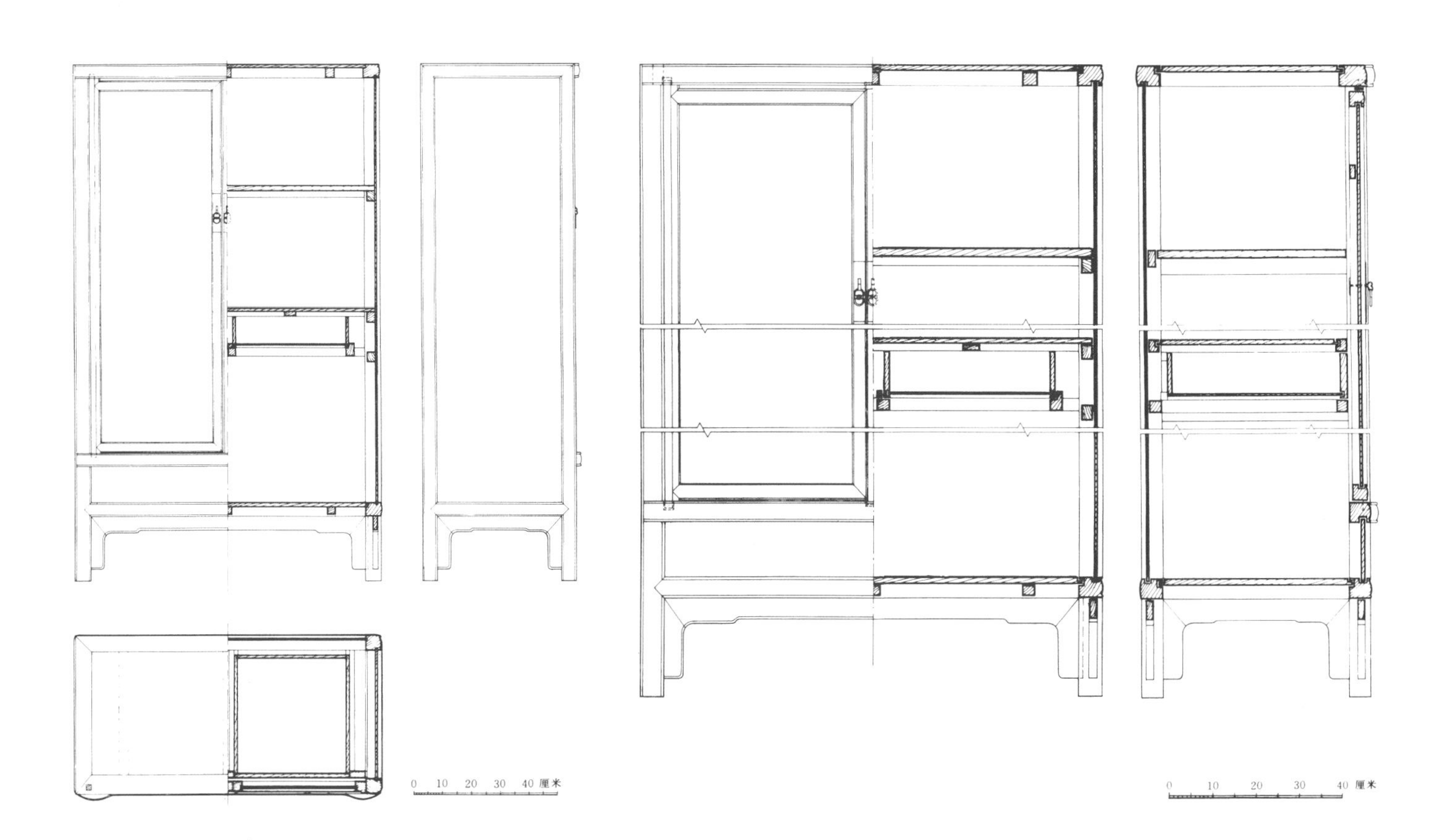

146

146. 明黄花梨四簇云纹方角柜柜门
每扇门高168、宽47、厚5厘米
北京硬木家具厂藏
① 柜门的斗簇花纹特写

①

148. 清黄花梨小四件柜
立柜69×37.5、高125、
顶箱69×37.5、高37、通高162厘米
北京硬木家具厂藏

147

①

②

147. 明黄花梨大方角柜

123.5×78.5、高192厘米

天津市文物商店藏

① 背面一角（黑漆有断纹）

② 侧面

149

①

149. 清黄花梨百宝嵌大四件柜

立柜187.5×72.5、高195、
顶箱187.5×72.5、高84、通高279厘米
故宫博物院藏

① 正面
② 百宝嵌特写
③ 百宝嵌特写

②

③

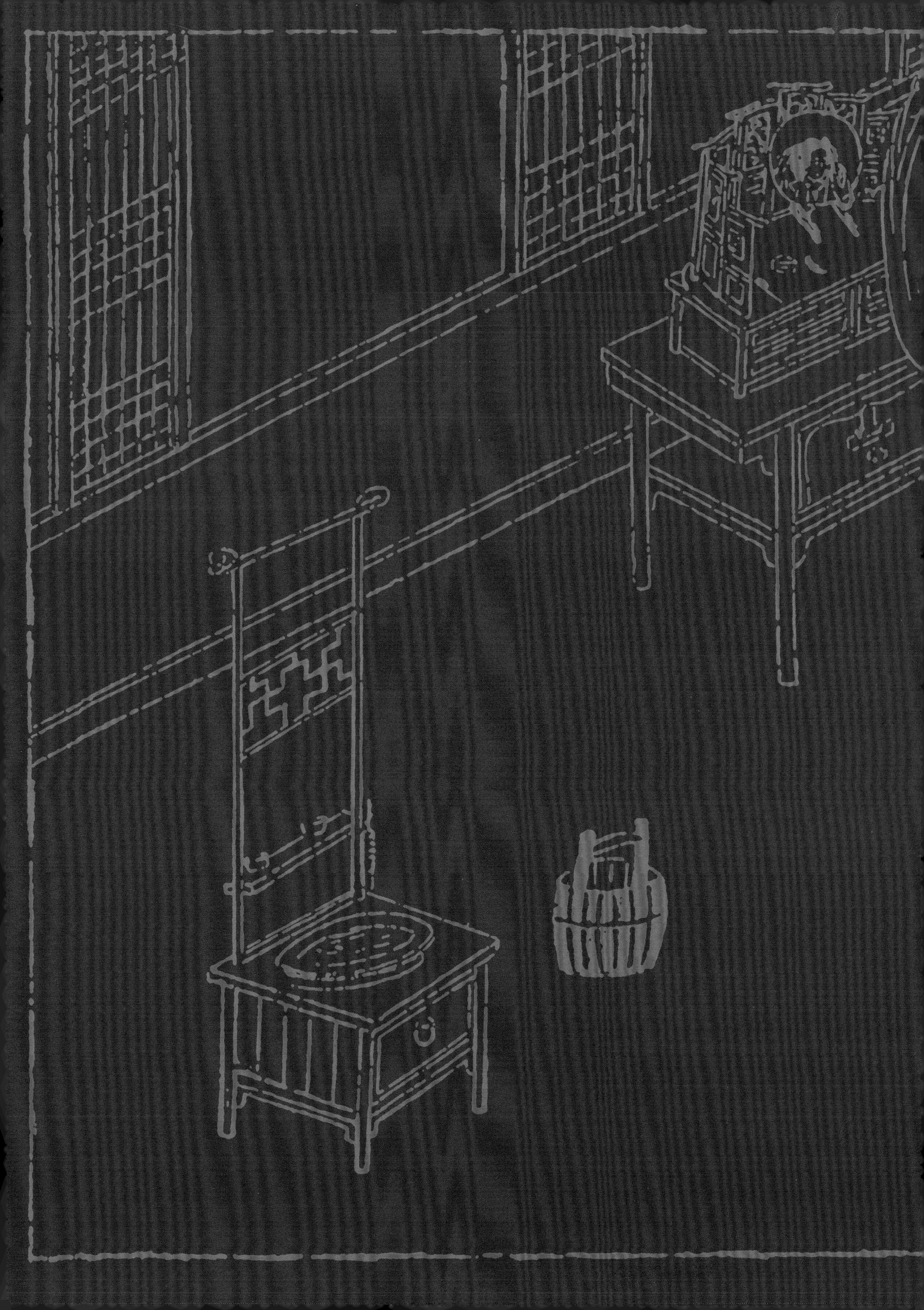

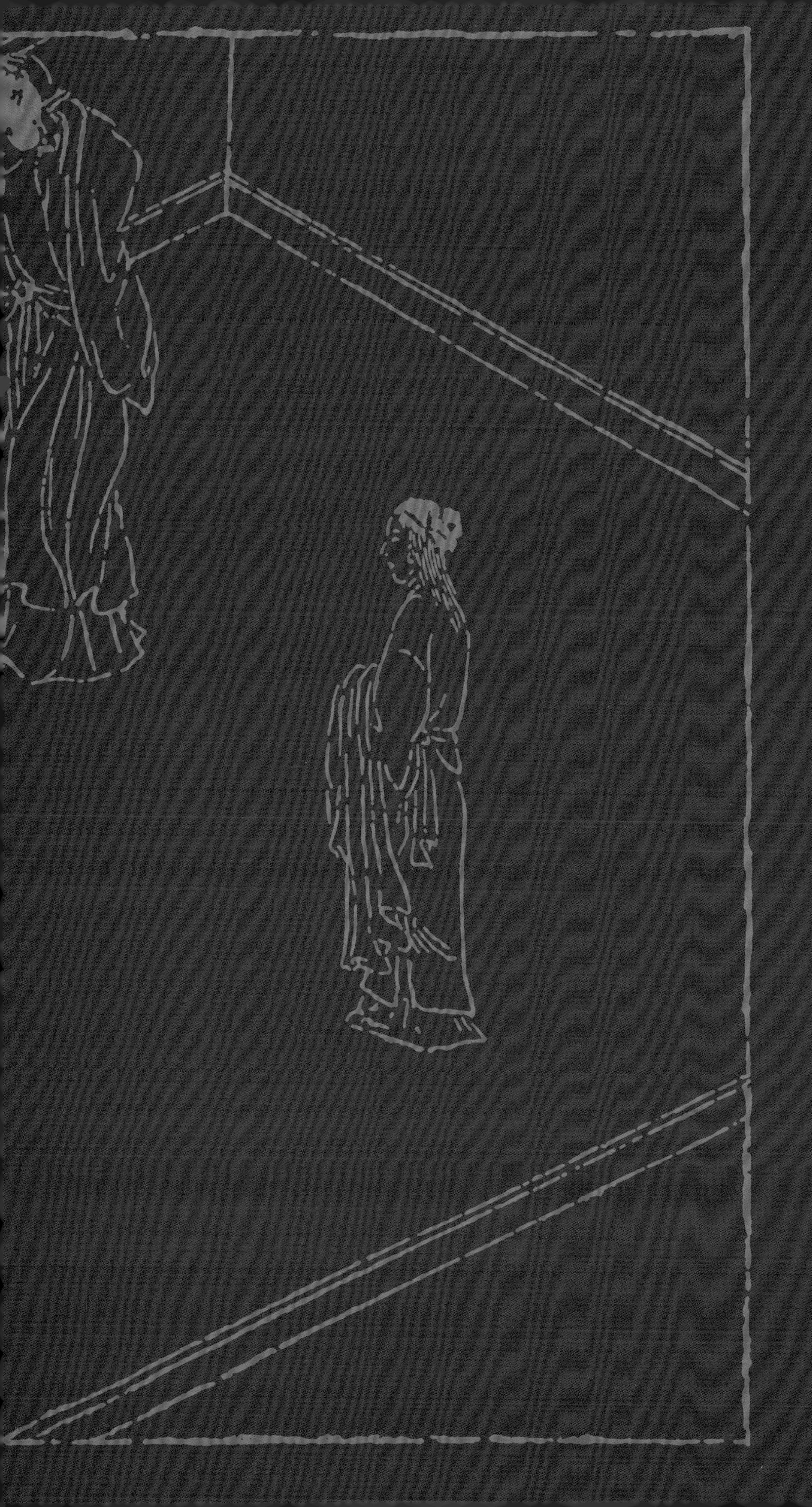

其他类

150

①

②

150. 明黄花梨插屏式座屏风

足底150×78、高245.5厘米

故宫博物院藏

① 底座正面

② 底座侧面

151

①

②

151. 明黄花梨小座屏风
底座73.5×39.5、高70.5厘米
王世襄藏
① 侧面
② 小座屏风一角

①

152. **明黄花梨插屏式小座屏风**

底座38×15、高36.5厘米

王世襄藏

① 侧面

153. **明铁力闷户橱**
98×47、高85厘米
王世襄藏

154

①

154. **明黄花梨螭纹联二橱**
112×59、高89.5厘米
王世襄藏
① 正面螭纹浮雕

155

①

②

155. 明黄花梨龙纹联二橱
160×52、通高90厘米
北京硬木家具厂藏
① 正面浮雕花纹特写
② 抽屉脸特写

156. **明黄花梨联三橱**
177.5×56.8、通高90.5厘米
天津市历史博物馆藏

157. **明黄花梨小箱**
42×24、高18.7厘米
王世襄藏

①

158

158. 明黄花梨方角柜式药箱
38×27.5、高46厘米
北京硬木家具厂藏
① 药箱一门开启后的情况

①

159

159. 明黄花梨提盒式药箱
底座78×45、箱身69×41.5、
通高77厘米
北京硬木家具厂藏
① 药箱一门开启后的情况

①

160. **明黄花梨提盒**
36×20、通高21.3厘米
王世襄藏
① 提盒上层取下后的情况

160

161. 明鸂鶒都承盘
35.4×35.4、高15.4厘米
王世襄藏

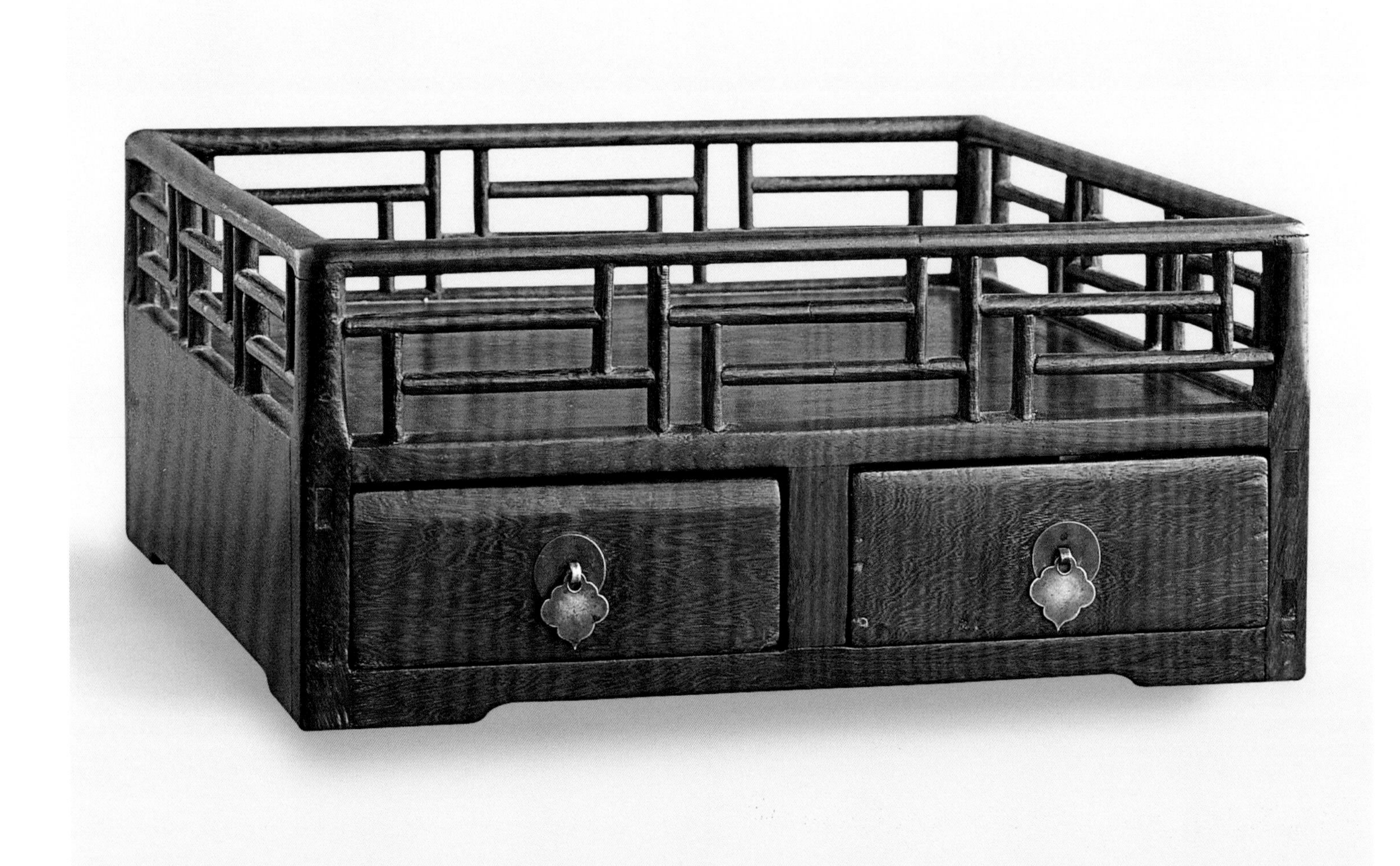

161

165

①

165. 明黄花梨官皮箱
35×23.5、高37厘米
北京硬木家具厂藏
① 箱盖及两门打开后的情况

162

162. 明黄花梨折叠式镜台（附实测图）
49×49、支起高60、放平高25.5厘米
王世襄藏
① 背板特写
② 背板一角
③ 镜台两门开启后的情况

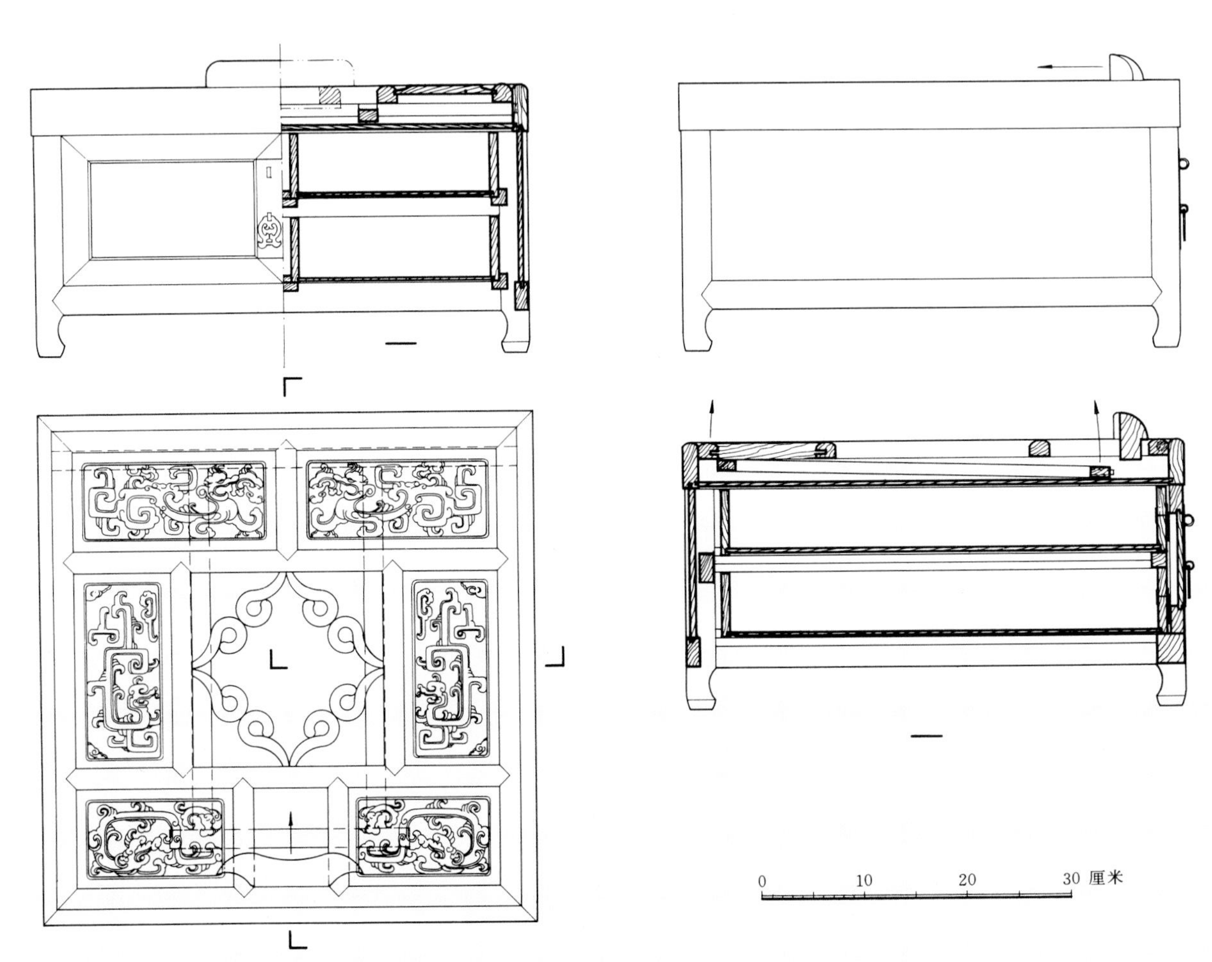

②

①

③

163

163. **明黄花梨宝座式镜台**
43×28、高52厘米
王世襄藏
① 侧面
② 背面

①

②

164

164. **清黄花梨五屏风式镜台**
55.5×36.5、高72厘米
北京硬木家具厂藏
① 圆雕龙头特写
② 五屏风中扇的特写

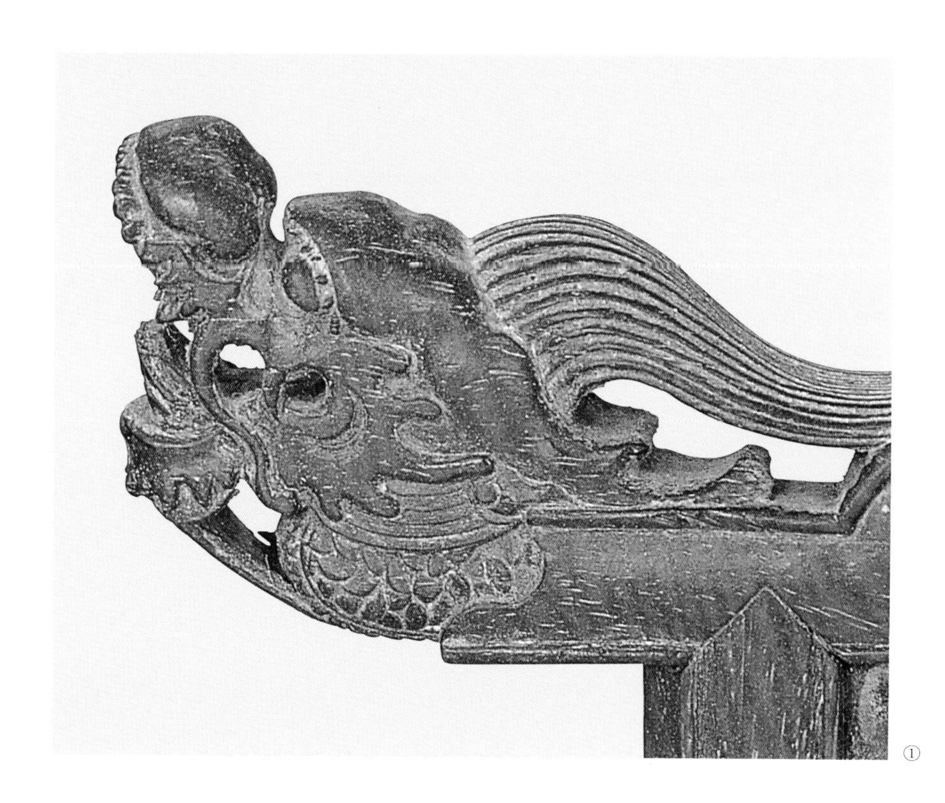

①

②

①

②

③

166. 明黄花梨凤纹衣架

底座176×47.5、高168.5厘米

王世襄藏

① 绦环板凤纹透雕

② 搭脑及挂牙特写

③ 侧面特写

①

167. **明黄花梨衣架中牌子残件**
中牌子方框144.5×29.4厘米
王世襄藏
① 中牌子团凤纹透雕
② 角牙特写
③ 中牌子斗簇花纹

167

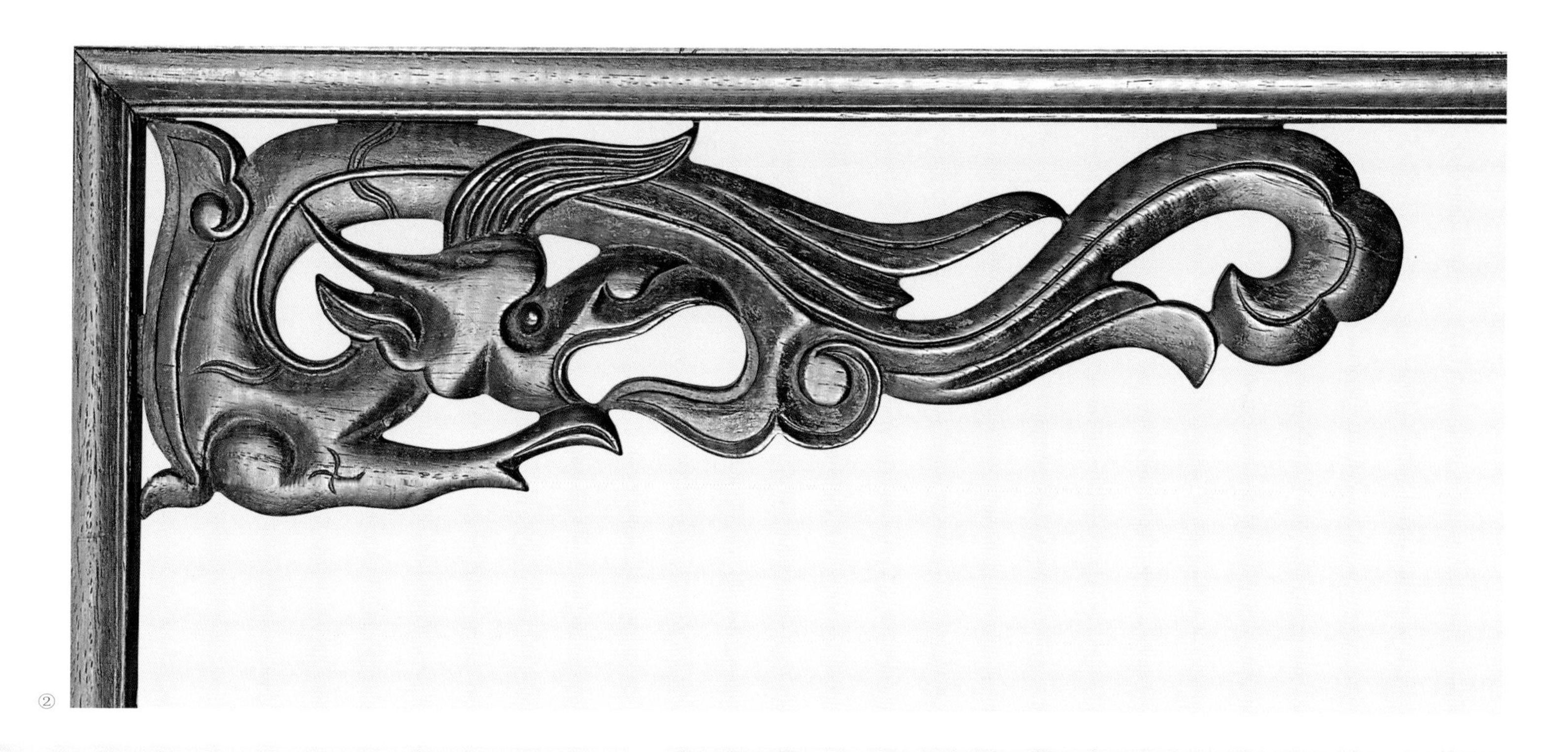

②

③

168

168. **明黄花梨六足折叠式矮面盆架**（附实测图）
径50、高66.2厘米
王世襄藏
① 面盆架折叠后的情况
② 仰俯莲足顶的特写
③ 铜面盆与面盆架

①

②

③

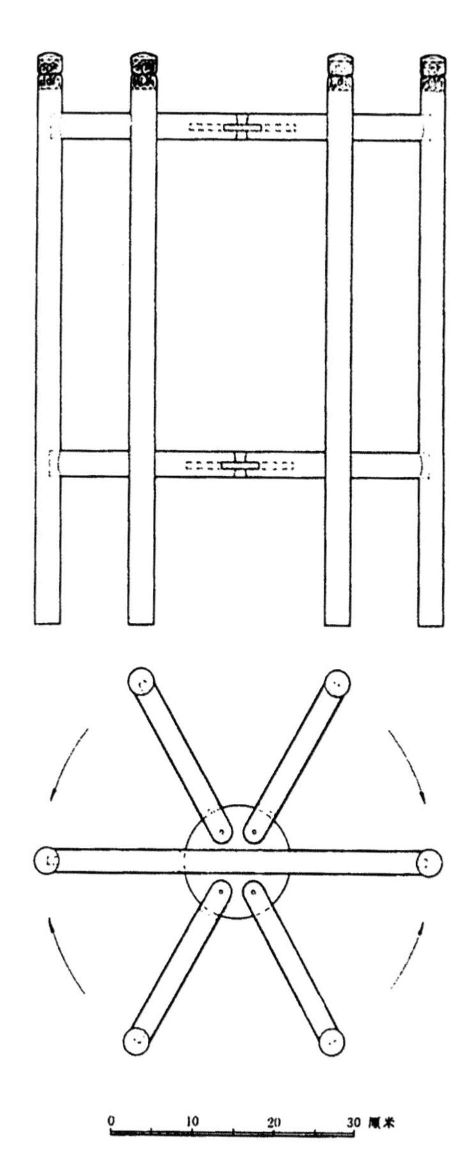

169

169. **明黄花梨高面盆架**（附实测图）
径58.5、高168厘米
陈梦家夫人藏
① 搭脑及挂牙特写
② 中牌子特写

①

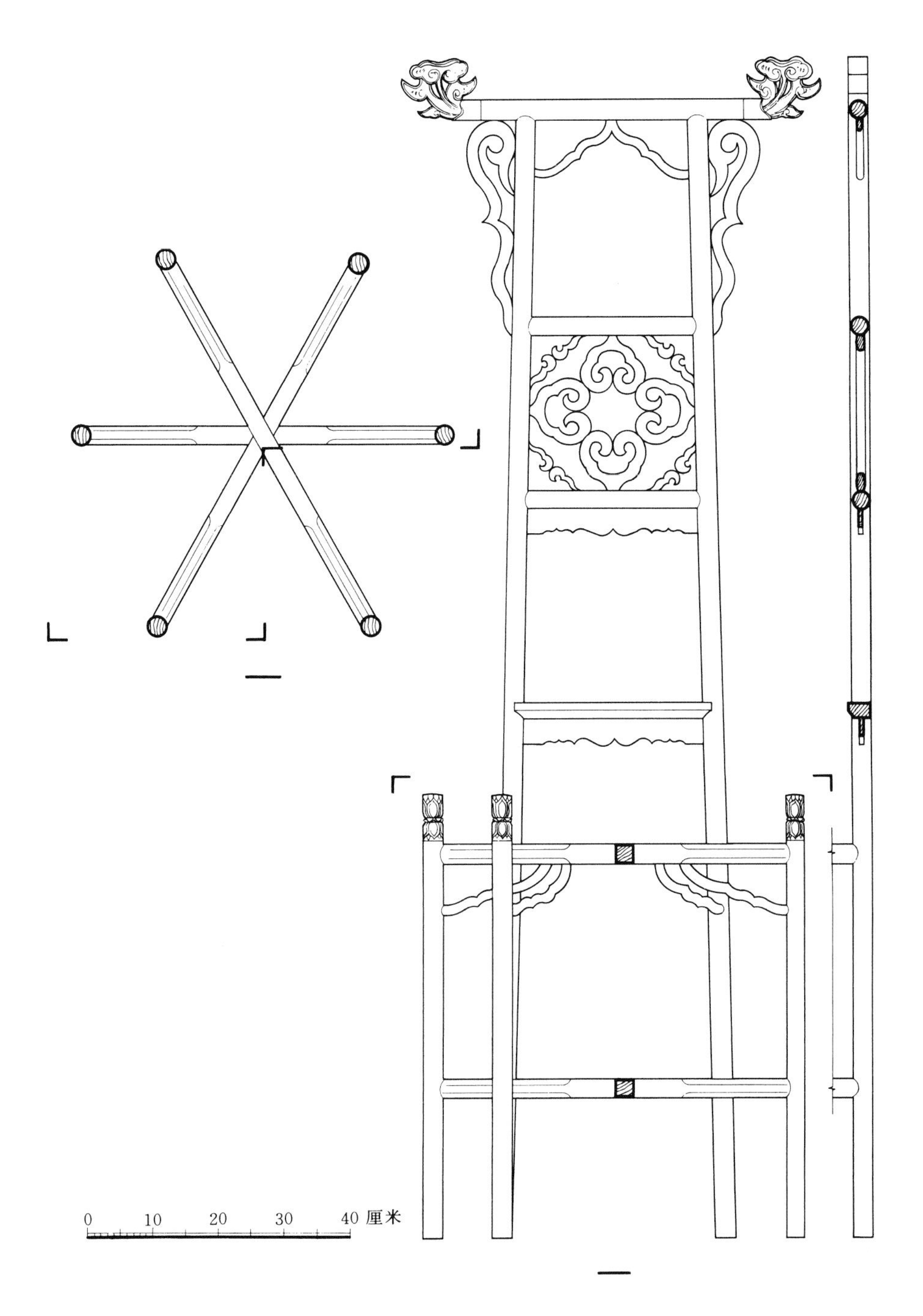

②

170

①

②

170. 明黄花梨雕花高面盆架
径60、高176厘米
王世襄藏
① 搭脑龙头圆雕
② 中牌子的麒麟送子透雕

171

①

171. **清黄花梨百宝嵌高面盆架**

径71、前足高74.5、高201.5厘米

故宫博物院藏

① 中牌子的百宝嵌职贡图

①

②

172. **明黄花梨滚凳**
77×31.2、高21厘米
王世襄藏
① 滚凳正面
② 滚凳背面

172

①

173. 清红木甘蔗床
29×11、高27厘米
王世襄藏
① 甘蔗床一侧特写

173

174

174. 清柞木枕凳
20.8×7.5、高9.8厘米
王世襄藏

175

①

175. 清紫檀小翘头案
19.6×4.8、通高9.5厘米
王世襄藏
① 小翘头案放在大平头案上面相映成趣

图版解说

图版解说

王世襄

1. 故宫博物院漱芳斋内景之一

斋中陈设着不少件明、清家具。明黄花梨小画案（图版113）位在室中，对面设紫檀座墩（图版27），宜两人对奕。靠北窗一排紫檀玫瑰椅为清前期制品。茶几、架几案等制作年代则为清中期。

2. 故宫博物院漱芳斋内景之二

漱芳斋以室内有小戏台而著称。放在台上的黄花梨螭纹小画案（图版113）是明晚期的制品。

3. 故宫博物院储秀宫内景

储秀宫是故宫西六宫之一。面盆架（图版171）不论宫廷或民间都是放在寝室使用的家具。

4. 颐和园排云殿西配殿紫霄阁内景

排云殿陈设以清代家具为主，而此阁的一桌（图版83）两椅（图版49）却是明代家具精品。

5. 黄胄画室一角

成对的万历柜（图版137）宜并列占满一室的墙面，于此还可见用亮格陈置文物的情况。

6. 王世襄工作室一隅

正中为宋牧仲旧藏明紫檀大画案（图版115），案下为清紫檀嵌螺钿脚踏（图版60），案左为明紫檀牡丹纹南官帽椅（图版50），椅前为明铁力高束腰五足香几（图版73），上承辽铸铁菩萨头。案右为清鸂鶒三屉大炕案（图版71）。端坐两牖之间，觌面莞尔微笑者，北魏建义元年（公元528年）石造像也。

7. 明黄花梨琴桌、香几、方凳组合

三件均为明黄花梨家具，惟琴桌曾经改制。古琴两床，一为琴隐园旧藏元朱致远所斲，一为锡宝臣旧藏明蕉叶琴。

8. 明黄花梨翘头案、香几、长方凳组合

三件均为明黄花梨家具（图版103、72、9）。翘头案两端高起，展读长卷，最为相宜。

9. 明黄花梨无束腰长方凳

51.5×41、高51厘米。成对之一。此种直足直枨机凳，宋代已定型，至明而更加成熟。腿足直落地面，无马蹄，断面外圆内方，侧脚显著，使人看到家具与大木梁架之间的关系。它用材粗硕，线脚简练，比例适当，显示出明代家具的神韵，在同类杌凳中是十分难得的一对。

凳面原为细藤软屉，1950年市上发现时早已残破殆尽。北方藤工只能用较粗藤条重编软屉，屉下马鞍形双带乃得保存。过去北京鲁班馆家具店买到软屉破损的家具，必剔深边框内口，改成直带，安装木板贴席面的硬屉。虽经修理，实遭破坏。

10. 明黄花梨无束腰小方凳

28×28、高26厘米。成对之一。

小方凳和前例（图版9）大小相去悬殊，而用材粗细并未大减，因而显得格外质朴，天真无邪，有憨稚之趣，弥觉可爱。数十年仅见此一对，是黄花梨家具的难得小品。它自然不是厅堂上物，而是卧室中的日常用具。

小方凳用黄花梨板作面，平装不落堂，边框背面亦无屉眼痕迹。

11 明黄花梨长方凳和小方凳合影

从合影可见大小相去悬殊，但神韵极为一致。

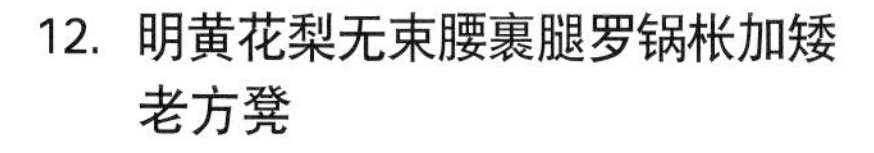

12. 明黄花梨无束腰裹腿罗锅枨加矮老方凳

52.5×52.5、高51厘米。成对之一。

罗锅枨高出四足的表面，仿佛是用柔软的物体缠裹而成，匠师称之曰“裹腿做”。它是从竹制家具得到启发，运用到硬木家具中来。为了和枨子呼应，凳面边框也同样缠裹着四足，但立面的两个“混面”，并非一木制成，而是用两层木材重叠而成，术语称之为“垛边”。这样做可以收到统一外形、省料及避免过于笨重的效果。

此凳原为藤编软屉，已被改为草席贴面硬屉。

13. 明黄花梨无束腰裹腿罗锅枨加卡子花方凳

50.5×50.4、高46.5厘米。成对之一。

此凳做法与前例（图版12）全同，只是将矮老改为双套环卡子花。

14. 清紫檀无束腰管脚枨方凳

52.5×52.5、铜足高5.5、通高47厘米。

圆材，罗锅枨加矮老，足端施管脚枨，皆如明式，帷边抹冰盘沿起阳线一道，意趣较晚。

早在见此凳之前，已有红木制者一对，形制与此全同，发现其高度低于一般杌凳约五六厘米，足底均有方孔，久思不得其解。及见此凳，两足下端套有铜足，疑乃得释。铜足作筒状，有底，中塞圆木，凿方孔，栽铜榫，出头部分与凳足方孔相交。铜足功能在防止凳足糟朽，而套装之后，高度约与一般杌凳相等。

凳为软屉，边框四角安连接大边与抹头的弯形短带，而不用只连接大边的弯形长带。边抹底面开长槽，屉眼打在槽内。软屉编成后，长槽用木条填堵，盖没棕藤穿结痕迹，是一种制作考究而时代较晚的手法。从各方面来看，方凳制作年代当在18世纪前半叶。

美国埃利华斯《中国家具》收鸂鶒木方凳一件（见该书图105），亦与此相同，认为足底方孔，乃为插入轿子底盘而设，故定名为“轿椅”，实出臆测。制作年代竟定为16世纪，显然过早。

15. 明黄花梨有束腰罗锅枨长方凳

48.5×42.5、高50厘米。成对之一。

有束腰家具多用方材，下有马蹄足，其造型渊源于壶门床及须弥座。

此凳束腰与牙条一木连做。牙条边缘起线，与腿足的阳线交圈，马蹄兜转，颇见棱角，都符合明代的式样。罗锅枨因稍稍退后安装，故未用格肩榫与腿足相交，而采用了比较简易的齐肩膀做法。

16. 明黄花梨有束腰十字枨长方凳

55.2×46.3、高48.5厘米。

每面牙条透雕云纹三组，沿边起阳线，与腿足交圈，直落到马蹄上。马蹄矮扁，劲峭有力。在结构上改变了四面用枨子的常见做法而代之以交叉的十字枨。腿子中部突出的卷转花纹，既与牙条上的云纹相呼应，又能掩盖腿、枨相交的缝隙，同时也加大了腿材，使它不致因凿榫眼而有损坚实。十字枨有时用在面盆架上，桌、凳则很少见。

此凳原为藤编软屉，已被改为草席贴面硬屉。

17. 明黄花梨有束腰三弯腿罗锅枨长方凳

51×42、高51厘米。

家具腿足如此造型，清代工匠则例称之为“三弯腿”。牙条剜出壶门式轮廓，下设罗锅枨。整体用料较细，格调轻倩不俗。

18. 明黄花梨有束腰三弯腿霸王枨方凳

55.5×55.5、高52厘米。

与前例（图版17）同为三弯腿式，而弧度较大，马蹄外翻亦较显著。不用罗锅枨而改为霸王枨，使壶门轮廓显得更为完整。腿足上部内向的一角，用倒棱法将直角抹去，出现了一个平面，霸王枨就安在这里。它下端用“勾挂垫榫”与腿足相交，上端交待在凳面软屉下的两根弯带上。

19. 明黄花梨有束腰三弯腿罗锅枨加矮老方凳

48×47.7、高54厘米。成对之一。

它与长方凳（图版17）基本相似，除用材较粗并增添卷草纹饰外，主要的不同在每面安装矮老两根。矮老在这里对结构的意义不大，而对圆婉流畅的壶门轮廓则起破坏作用，未免使人有“画蛇添足”之感。举此一例亦足以说明明代黄花梨家具并不是每一件的设计都是成功的。

20. 明紫檀有束腰鼓腿彭牙方凳

57×57、高52厘米。四件之一。

此为有束腰家具常见形式之一，名曰“鼓腿彭牙”式。“鼓腿”是说腿向外鼓，“彭牙”是牙子向外彭出。足下端向内兜转，形成内翻马蹄。牙条与腿足相交处，常安角牙，加强连接。

方凳用紫檀板作面，稍稍落堂安装。边抹背面无穿孔痕迹，说明自始即为硬屉。

21. 明黄花梨有束腰鼓腿彭牙大方凳

64×64、高55厘米。成对之一。

与前例（图版20）同为鼓腿彭牙式，但采用了较多的装饰手法。牙条、腿足边缘起阳线，足端做出云纹马蹄。牙条下的附加花牙不用常见的角牙，而用形如“券口”的镂空牙子。它体形硕大，工料均精，虽比前例雕饰较繁而时代则可能较早。凳面原为软屉，已被改为草席贴面硬屉。

22. 明黄花梨小画案、有束腰大方凳组合

此为北京木材厂家具陈列室的一组明代家具。

23. 清红木有束腰管脚枨方凳

54.5×54.5、高52厘米。成对之一。

凳面平镶红木板面心，自始即为硬屉。牙条镀出柔婉的“洼堂肚”较转角方正或雕回纹的为早，其制作年代当在清前期。

24. 明黄花梨三弯腿罗锅枨方凳

52×52、高54厘米。成对之一。

由于所收者腿足下端被截短并装上了托泥，故以为它原来即如此。待见此对，才发现本人失察。它们本无托泥而是落地的三弯腿。从这里得到教训，如器物残缺不全，存疑待查，比依推测下结论可以避免犯错误。杌凳雕饰甚繁，卷草两侧相对的双龙，观其跂尾，乃是“草龙”。肩部两目炯然的动物花纹或称之为饕餮。看来还是从象纹变化出来的一种兽面。

25. 清有束腰瓷面圆凳

面径41、高49厘米。八件之一。

四足，全身光素，用深黄色软性木材制成，木质细而匀，可以肯定非楠、非樟、非榉。惟究竟是何木材，尚待进一步鉴定。八件成堂，故宫、颐和园各藏其半。颐和园的四件不知何时被人染成黑色，如图所示，木纹全被遮没。凳面镶康熙青花瓷片，中心螭虎灵芝团花，留出很宽白边，予人跳脱清新的感觉。瓷片既专为圆凳烧制，木凳当亦为康熙时制。

26. 明黄花梨八足圆凳

面径38、腹径45、高49厘米。

这是介乎圆凳与坐墩之间的一件坐具，因不具备开光、鼓钉等一般明式坐墩的特征，故今称之为圆凳。它结构简单，只用八根“劈料”的弯足，上承圆框，下与托泥连接。托泥下原有小足，脱落后未及补配。

27. 清紫檀五开光坐墩

面径28、高52厘米。

坐墩腔壁有五个略具海棠式的开光，上下各有弦纹及钉纹一道。这些是明及清前期坐墩常有的特征。坐墩造型自明至清有由粗硕向修长发展的趋向。此墩的制作年代当在清前期。

28. 清紫檀五开光坐墩

面径34、腹径42、高48厘米。成对之一。

造型比前例（图版27）粗硕，但鼓钉小而密，面心瘿本装板，采用落堂踩鼓法，予人意趣较晚的感觉。其制作年代不能早于清前期。

29. 清紫檀直棂式坐墩

面径29、高47厘米。成对之一。

它吸取了直棂窗的做法，故腔壁已无圆形开光的痕迹，而外貌近似一具鸟笼，疏透整齐，形象颇佳。这种设计可能是为了达到充分利用木材的目的。因为腔壁乃由二十四根长条，上下各以短条相间而成。这样，长材、短材可以各尽其用，而实际上并未耗用多少粗大木料。

30. 清黄花梨小交杌

面支平47.5×39.5、高43厘米。

由八根直材构成，是交杌的基本形式。其制作年代可能晚到清中期，但与宋人摹《北齐校书图》中所见，几无差异。可见民间日常使用的交杌，千百年来一直保持着它的原来结构。

31. 明黄花梨有踏床交杌

面支平55.7×41.4、高49.5厘米。

杌面及杌足之下的横材共四根，用方材。杌足四根用圆材，但在穿铆轴钉的一段，杌足断面亦作方形，故意留而不削来增其坚实。杌面的横材立面浮雕卷草纹，正面两足之间设踏床。踏床面板钉铜饰件，两端留做探出的圆轴，插入足端的卯眼，使踏床成为一个可以装卸或掀起、放下的附件。交杌在折叠时，踏床可取下或翻转过来，以便携带。杌面用丝绒编成，是近年穿织的。明代交杌传世极少，这是保存完好、制作又极精的一件。

32. 清黄花梨上折式交杌

面支平56×49、高49厘米。

交杌面不用绳索编屉而代之以两方可以折叠、中间安有直棂的木框。木框中缝下有支架，用铜环与木框连接。当木框放平可以就坐时，支架恰好落在杌腿相交处，使杌面得以保持平正并承荷重量。正因其结构如此，故交杌折叠时，杌面须向上提折，与一般软屉的折叠方向恰好相反。它在交杌中属于变体，数十年仅见此一例。从浮雕花纹及铜饰件来看，制作年代已入清。

33. 清榉木夹头榫小条凳

49.5×15、高40厘米。

独板厚面，案形结体，采用夹头榫结构，四足侧脚显著。腿足线脚及牙头都做得纯朴可爱。尤其是面板下两侧面不安牙条，任其空敞，不交圈，宋元画中所见桌案多如此，足见此凳犹存古意。它是一件江南民间用具，而民间用具往往数百年形制不变。在条件具备时，如对家具的产地及使用者进行调查、采访，往往比只凭家具造型来断代要准确可靠一些。

34. 清柞本无束腰罗锅枨加矮老二人凳

83×31、高39厘米。

此凳采用罗锅枨加矮老基本形式，屉面铺竹片代替藤编，是南方民间简易的做法。类此长凳，南方常见，不论大小，一律称为“春凳”。北方则称之为二人凳，只有尺寸较大，接近小榻的才叫春凳。

柞木属槲树类，虽非硬木而颇坚韧，在黄褐色质地中，有深色数厘米长、两端有尖的条纹，不难辨认。

35. 明黄花梨有束腰罗锅枨二人凳

102×42、高49厘米。

方材，直足，内翻马蹄，足间施罗锅枨，采用有束腰家具的基本形式。和前例（图版34）相比，用材考究，尺寸较大，是一件比较正规的二人凳，而不是一般的民间用具。原有藤编软屉，已被改为草席贴面硬屉。

36. 清榉木小灯挂椅

座面43×37、座高37、通高83.5厘米。成对之一。

这是来自苏州太湖地区的民间用具，座面低于一般的灯挂椅，相差在10厘米以上。惟造型简练，用材粗硕，故有一种雅朴的趣味。由于形体小，座面下不再安券口牙子，而只用木条锼出牙条和牙头。原有藤编软屉大体完好，但已有残坏处。据物主称，多年以来均有布垫覆盖保护，否则早已破损。

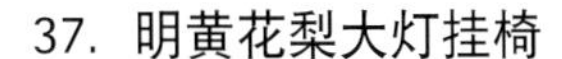

37. 明黄花梨大灯挂椅

座面57.5×41.5、通高117厘米。成对之一。

在灯挂椅中属于较大的一例。管脚枨前者低、两侧高、后者更高，采用所谓“步步高赶枨”，目的在避免榫眼集中，有损坚实。另一种常见的“赶枨”为前低、侧高、后低，实例如小灯挂椅（图版36）。券口牙子不用正中有尖的壶门式轮廓，而用微微下垂的“洼堂肚”，柔婉有致。

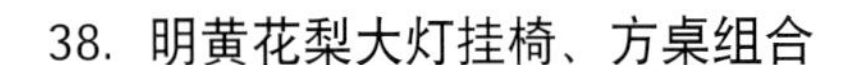

38. 明黄花梨大灯挂椅、方桌组合

在明、清绘画或版画中可以看到类似这样的桌、椅组合。

39. 清红木小靠背椅

座面48×44、通高85厘米。成对之一。

此椅或据其搭脑造型称之曰“牛头式”。所见与此形式全同者不下三、四对，只大小尺寸有等差，可见曾成批生产。其制作年代可能从清前期延续到清中期或更晚。

40. 明黄花梨雕花靠背椅

座面62.5×42、通高99.5厘米。

椅背制作极精，雕饰之繁缛，题材之丰富，十分罕见。攒靠背上的草书“寿”字和嘉靖雕漆器上的花纹相似，据此可定其年代为明中期。惟现在尚有争论的是靠背和底座是否为一器。底座四面平式，完全光素，有如一件大长方凳，与靠背并不协调，而且从结构来看，靠背的安装方法也不够合理。因而有人怀疑，靠背可能是从直后背交椅移植到台座上来的。不过无论如它是一件十分难得并值得作进一步研究的家具。

41. 明黄花梨玫瑰椅

座面56×43.2、通高85.5厘米。成对之一。

靠背内安装券口牙子，落在横枨上，枨下施单矮老，属于玫瑰椅的基本形式。传世实物亦以此种做法的为最多。

42. 明黄花梨玫瑰椅

座面58×45、通高69厘米。成对之一。

搭脑及扶手尽端均下垂后始与前、后足上端相接。券口牙子雕回纹，落在罗锅枨上。枨下施透雕灵芝形卡子花。扶手下也安券口牙子。座面下牙条雕卷草纹。它在前例（图版41）的基础上多处增添了装饰。

43. 明黄花梨透雕靠背玫瑰椅

座面61×46、通高87厘米。成对之一。

在三例玫瑰椅中，这是雕饰最繁的一件。靠背装板通体透雕六螭捧寿纹。横枨下安团螭纹卡子花。座面下三面券口牙子均有雕饰。通过三例玫瑰椅的排比，可看到明代家具如何在基本形式上逐步崇饰增华。

44. 明铁力四出头官帽椅

座面74×60.5、通高116厘米。成对之一。

官帽椅的搭脑和扶手都是直的，扶手正中下面的“联帮棍”（或称“镰刀把”）也不弯，只下粗上细，用所谓“耗子尾”的做法。各个构件唯有前足上截伸出座面之上，被称为“鹅脖”部份微向前弯，座面下施罗锅枨加矮老。它的造型并不使人觉得单调乏味，反而感到隽永耐看。这是靠简练的结构和合理的权衡取得的。椅面自始即为木板硬屉。

45. 明黄花梨四出头官帽椅

座面55.5×43.4、通成120.4厘米。成对之一。

此椅搭脑、扶手、联帮棍、鹅脖都有弯，座面以下用券口，不用罗锅枨加矮老。在传世实物中，如此造型的反比前例（图版44）为常见，所以是一件相当标准的四出头官帽椅。

46. 明黄花梨四出头官帽椅

座面58.5×47、通高119.5厘米。成对之一。

靠背板浮雕花纹一朵，由朵云双螭组合而成，刀法虽精，尚为明代椅具所常有。此椅特点不在此而在构件细、弯度大。弯而细的构件必须用粗大的木料才能做出。也就是说，此椅原本可以做得很粗硕，形如今状，但当时却不惜耗费工料，把它做成纤细、柔婉动人的特殊效果。

47. 明黄花梨矮靠背南官帽椅

座面59×47、通高82厘米。成对之一。

凡搭脑和扶手都不出头的椅子，北京匠师称之为"南官帽椅"。此椅属于矮靠背一种，外形近似玫瑰椅。唯玫瑰椅的靠背及扶手皆与座面垂直相交，而此椅是不具备这一特征的。靠背用直棂三根，乃从木梳背椅简化而来。

48. 明黄花梨高靠背南官帽椅

座面57.5×44.2、通高119.5厘米。成对之一。

此为高靠背式，在明代南官帽椅中较为常见。但它选料既佳，制作又极精美。尤其是螭纹浮雕，形态生动，刀法快利，卷转圆婉而线条遒劲，定出高手无疑，在明代家具上并不多见。

49. 明黄花梨高扶手南官帽椅

座面56×47.5、通高93.2厘米。四件之一。

靠背三段攒成，上段落堂作地，镶透雕龙纹玉片，审系明代腰带玉版，并非为椅而琢。中段平镶黄花梨板，下段镶落堂卷草纹亮脚。三段上、下落堂而中段平镶，是为了适宜倚靠而有此设计的。鹅脖退后，另木安装，不与前足连做。联帮棍略去不用。扶手后部甚高，与搭脑相差无几，形成接近圈椅的特殊造型。座面以下，四面用素直券口牙子，也不多见。四具成堂，因长期在宫苑，细藤软屉上有锦垫覆盖，故尚完整。它们是艺术价值很高又保存得较好的明代家具。

50. 明紫檀扇面形南官帽椅

座面前宽75.8、后宽61、深60.5、通高108.5厘米。四件之一。

四足外挓，侧脚显著。座面前宽后窄，相差几达15厘米，大边弧度向前凸出，平面作扇面形。搭脑的弧度则向后凸，与大边的方向相反。全身一律为素混面，只在靠背板上浮雕牡丹纹团花一窠，纹样刀工与明早期的剔红器十分相似。座面下三面安"洼堂肚"券口牙子，沿边起肥满的"灯草线"。管脚枨不仅用明榫，而且出头少许，坚固而并不觉得累赘，在明代家具中很少见。它可能是一种较早的做法，还保留着做大木梁架的特征。此椅四件一堂，尺寸硕大，紫檀器中少见。造型舒展而凝重，选材整洁，做工精湛。不仅是紫檀家具中的无上精品，更是极少数可定为明前期制的实例。

51. 清榉木小灯挂椅、明紫檀扇面形南官帽椅合影

从合影可见两椅大小比例及宫廷与民间的不同风格。

52. 明榉木矮南官帽椅

座面71×58、座高31.5、通高77厘米。

搭脑向后弯度较大，两端与后足相交处安角牙。鹅脖另安，与扶手相交处也安角牙。座面以下，四面直券口牙子。

座面高度低于一般椅子约20厘米，如上加软垫则仿佛是一件现代家具。明、清坐具，矮者甚少，近年市上所见，多为截腿改做，此椅则确是原制。很可能是寺院禅椅，专供趺坐而制的。

靠背板浮雕采用大长方形图案，亦见匠心。因为椅子矮了，方形的靠背就显得更加突出，如果用一般的圆形图案，在气势上不容易将这块空间充填起来。花纹的刻法为铲地浮雕，图案是从凤纹变化出来的，有宋代仿古铜花纹的意趣，与一般的黄花梨家具上的雕刻风格不同。

53. 明黄花梨六方形南官帽椅

座面78×55、座高49、通高83厘米。四件一堂。

六方形，六足，是南官帽椅中的变体。座面以上，搭脑、扶手、腿足上截和联帮棍都做出瓜棱式线脚。座面以下，腿足外面起瓜棱线，另外三面是平的。座面边抹用双混面压边线，管脚枨用劈料做，都是为了取得视觉上的一致。靠背板三段攒框打槽装板，边框也做出双混面。下段为云纹亮脚。中段装板。上段透雕云纹，故意将花纹压低，而使火焰似的长尖向上伸展，犀利有力。

此椅造型远胜所曾见到的几件六方椅，其可贵在虽是变体，而意趣清新，自然大方，无矫揉造作之弊。

54. 明黄花梨圈椅

座面54.5×43、通高93厘米。

圈椅制作简单，乃是常见形式。但靠背板上的浮雕团花，却不寻常。不仅游龙矫夭生动，以锦纹作地，在家具雕刻中十分罕见，过目实例屈指可数。

55. 明黄花梨透雕靠背圈椅

座面60.7×48.7、通高107厘米。成对之一。

椅圈三接，圆中略带扁形。靠背板上做出壸门形开光，透雕麒麟纹，张吻吐舌，鬃鬣竖立，火焰飞动，从动物形象及刀工即可断定为明制，且不晚于明中期。背板上端，两旁用木条拼出，雕卷草纹，加强了装饰效果。它实际上就是和靠背板连做的托角牙子。由于前后足和扶手相交处都有此种装置，使它并不显得过分突出。靠背板下端锼出亮脚。按亮脚一般用在分段攒框的靠背上，独板靠背下雕亮脚比较少见。座面下的券口牙子，曲线也圆劲有力。就艺术价值而言，所见明代圈椅以此对为第一。

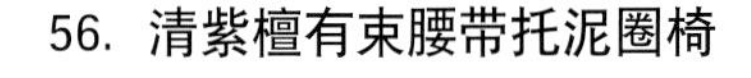

56. 清紫檀有束腰带托泥圈椅

座面63×50、座高49、通高99厘米。四件一堂。

明代椅子，前后腿足一般都穿过座面，形成靠背和扶手的支柱，上下一木连做。这是坚实而合理的做法。正因如此，椅子很少有束腰。因为如果有了束腰，便会影响腿足从中穿过，上下只好两木分做，严格说来，是不合理的做法。清中期以后，有束腰的椅子反多于明及清前期，这是重形式而轻结构的一种表现。这四件圈椅不仅有束腰，而且带托泥，它们应当是18世纪初期为宫廷特制的家具。

圈椅的细部制作也很不一般。靠背板用攒框做成，上截雕开光镂空花纹，是卷草纹的变体；中截镶瘿木，任其光素；下截锼云纹亮脚。靠背板和椅圈及座面相交处，使用四大块镂空角牙，加强了从正面观看的装饰效果。扶手出头和四足马蹄之上一段，利用本来要剔削掉的木材，镂雕卷草纹。手法比较别致。原有细藤编织软屉保存完好。总的说来，圈椅虽有追求形式的倾向，仍是工料绝精而且有代表性的重要家具。

57. 元黄花梨圆后背交椅

座面支平69.5×53、通高94.8厘米。

椅圈五接，靠背板浮雕朵云双螭纹开光，图案与四出头官帽椅（图版46）颇相似。构件交接处，包裹缠莲纹铁鋄银饰件，部分已锈蚀。从木质及饰件来看，所见交椅自以此件为最早。挚友陈梦家先生收藏此椅有年，并认为是元代制品，当有所据。

58. 明黄花梨圆后背交椅

座面支平70×46.5、通高112厘米。成对之一。

采用三截攒靠背，上为透雕螭纹开光；中为麒麟葫芦，山石灵芝，物象纷杂而少生气；下为亮脚，起卷草纹阳线。用材粗硕，铜饰件。与前例（图版57）相比，形状虽基本相同，但不难看出此件制作年月要晚到明代中期或晚期。

59. 明紫檀有束腰带托泥宝座

座面98×78、通高109厘米。

围子由后背、扶手三扇构成，但做成七屏风式样。除座面及束腰外，全身浮雕莲花、莲叶及蒲草，密不露地。刻工圆浑，不见棱角，刀法接近元明之际的剔红器，和张成造的水禽莲花菰蒲雕漆盘图案有相似处。难能的是花叶的向背俯仰，枝梗的穿插回旋，与宝座的造型巧妙地结合起来，毫无牵强生硬之感，足见制者的意匠经营。座前还有同一花纹的脚踏，制作亦精。

60. 清紫檀有束腰嵌螺钿脚踏残件

117×38、高11.5厘米。

此为宝座前的脚踏，久已与宝座分散，故附置于此。

脚踏有束腰，足下尚有托泥，已散失。脚踏面用厚螺钿嵌螭纹三团，花纹古朴疏朗，较之清代中晚期的嵌螺钿，不论工料、图案，均不相同。

61. 清黄花梨无束腰仿竹材方炕桌

80.5×80.5、高24厘米。

炕桌在直枨加矮老的基本做法上有许多变化。每足两侧用竹根似的短材与桌面连接。边抹劈料，混面上小下大，不使等宽。在桌面拦水线下打槽装嵌面心板的边簧，这样面心板便将边抹四框压盖在下面，表面显得十分整洁。全身雕竹节纹，腿足摹拟竹根，稍带弯曲。这些手法使炕桌颇具特色，是一件成功的仿竹家具。

62. 清黄花梨有束腰镂空牙条炕桌

99.5×67、高31.8厘米。

炕桌采用有束腰基本形式，但牙条变实为虚，在正中锼出两个对抵的回纹。牙条与腿足相交处也安透空回纹角牙。这就使外貌完全改观。论其制作年代，当在清前期。

63. 明黄花梨有束腰齐牙条炕桌

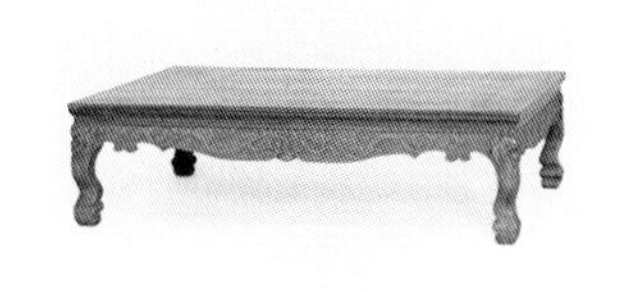

108×69、高29.5厘米。

这是有束腰炕桌中的齐牙条做法，即牙条两端不切成45°斜角而与腿足直线相交。同样做法也见于高桌，绝大多数腿足肩部多雕兽面。于此可知齐牙条是为了保持兽面的完整，避免因格肩相交而遭到干扰破坏。由于上有兽面，足底常雕成兽爪，下攫圆球。

64. 明黄花梨有束腰鼓腿彭牙炕桌

84×52、高29厘米。

这是一张鼓腿彭牙式而又做得十分夸张的炕桌，肩部向外彭出、足底向内兜转都较多，并把马蹄做得接近圆球形。牙条雕饰亦繁，随着卷转的轮廓，为居中的莲花及相向的草龙作妥帖的安排。铲地浮雕，花纹饱满，颇为富丽。

65. 明黄花梨有束腰三弯腿炕桌

88×46、高30厘米。

炕桌的特点在腿足，仅见此一例，仿佛是在鼓腿彭牙的腿上又增加一截向外翻的腿足，据其造型，只能仍名之曰"三弯腿"。它造型奇巧，但使用木材不尽合理，因卷转处顺纹木材长仅两寸许，容易断裂。此桌即有一足折断，后经粘合。

66. 明黄花梨高束腰雕花炕桌

105×72.5、高27.5厘米。

高束腰式，托腮肥厚，腿足上截露明，下截做成三弯腿，以圆球作结束。长而宽的束腰，装入边抹底面、托腮及腿足上截的槽口内。除桌面光素，边抹及托腮均做线脚外，通体浮雕。花纹虽繁而仍是明风，和清中期的繁琐雕刻意趣不同。四足肩部雕兽面，故牙条两端平齐不格肩。桌面四角有云纹铜饰件。

67. 清黑漆炕几

129×34.5、高37.2厘米。

几由三块厚板制成，髹黑漆，色如乌木，遍体牛毛断，不施雕刻，亦无描饰。两侧足上开孔，略如覆瓦，可容一掌，造型古朴。几足板厚逾二寸，上半铲剔板内侧，下半铲剔板外侧，至足底稍稍向上卷转。它用材重硕，圆浑无棱角，气质沉穆，似出文人学士的专门设计，而非工匠的一般制品。唯从漆质来看，制作年代已入清。

68. 清紫檀无束腰罗锅枨装牙条炕几

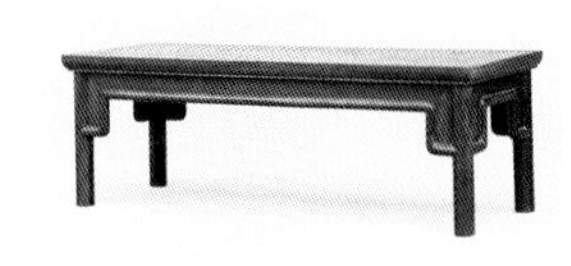

99×35、高32.5厘米。

足间安罗锅枨，在枨上打槽嵌装牙条及牙头，密不通风，其结构乃从"一腿三牙罗锅枨"变出而往往用于矮小的炕几上。如为高形桌案（图版114），则牙条与枨子之间应留空隙，以免有闷窒之感。

69. 清紫檀夹头榫炕案

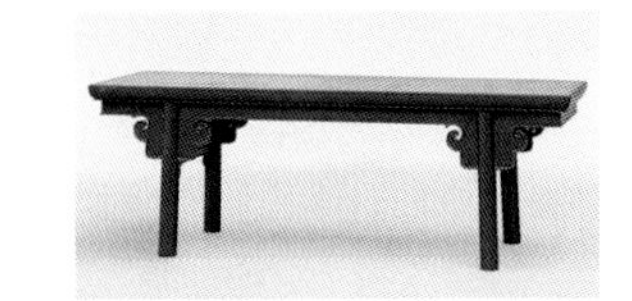

93×32、高32.3厘米。

炕案采用标准的夹头榫案形结体，云纹牙头亦属常见。它虽纯为明式，但牙头的式样及沿边起峭而立的阳线，线内铲出下陷的平地等做法，意趣较晚，已是清前期的手法。

70. 明鸂鶒攥腿翘头炕案

130×32.5、通高32.5厘米。

炕案最引人注目的地方在外撇的腿足，不仅线条优美，且增加了稳定感。牙头透挖云头，挡板部分云头向上翻出，亦为此案生色。

云头并不完全锼空，留有一珠与上下相连。此珠虽小，对防止云头断裂能起重要作用。

71. 清鸂鶒三屉大炕案

191×48.5、高48厘米。

炕案有带抽屉的一种，尺寸大小不一，而此为大者，除在炕上靠墙置放外，亦可摆在室内地上使用。从装饰来看，侧面挡板线雕方框，翻出云头，常见于明代家具。但正面牙条起线铲地雕卷云，手法较晚，故定为清制。

鸂鶒木原面心破裂有年，约在1955年前后换成铁力木整板。

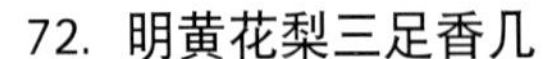

72. 明黄花梨三足香几

面径43.3、高89.3厘米。

几面用四段弧形大边攒成圆框，打槽装面心板，立面做成冰盘沿线脚。直束腰下与浮雕卷草纹的牙子相接。三弯腿，肩部彭出，用插肩榫与牙子相交。此下，腿足向内收敛后又向外翻出，因细而长，故明人小说及清代则例有“蜻蜓腿”之称。足下端出榫，与带小足的圆托泥相交。三足之间的三个空档是完整的三个壶门轮廓。香几虽稍有雕饰，仍可视为明代的基本形式。

73. 明铁力高束腰五足香几

面径61、肩径67、高89厘米。

此几用厚55厘米的整板作面，束腰部分分露出腿足上截，形成矮老之状。其侧打槽，嵌装绦环板，并锼凿近似海棠式的透孔。如用清代则例的术语来说，乃是“折柱绦环板挖鱼门洞”的做法。束腰下的托腮宽厚，一则为与面板的冰盘沿配称，以便形成须弥座的形状；二则因托腮也须打槽嵌装绦环板，故不得不宽厚。牙子、托腮、束腰分别制作，是用所谓“真三上”的方法做成的。足下削做圆球，有榫穿过托泥。托泥也特别重硕。

此几用材粗大，格调厚拙，原来应是寺庙中物，除香炉外，亦可置放铜磬等法器，与其他几件香几，迥异其趣。

74. 明黄花梨五足内卷香几

面径47.2、高85.5厘米。

香几在打洼的束腰以下，仍用插肩榫使腿足与牙子结合。但肩部及腿足表面平坦，而沿着边缘起阳线，顺足而下，直至卷转的足端，贯通一气，十分醒目，与一般的鼓腿彭牙家具，腿足表面多隆起，形态有别。腿足自肩部以下向外鼓出后，直至下端，始向内卷转，落在托泥上。整体造型仿佛是一枚大木瓜，和常见的三弯腿香几大异，尚未见第二例。五足内侧原有霸王枨，脱落后已将榫眼填没。笔者认为霸王枨在此作用不大，不安反而显得简洁精练，可能这是没有补装的原因。

75. 明黄花梨四足八方香几

面50.5×37.2、高103厘米。

此为香几中的变体，几面仿佛用一块长方形木板抹去四角，但实为攒边打槽装板做成。边框之下，安与束腰一木连做的波折形牙子，意在摹拟锦袱下垂之状。托泥长方形，而边抹向内凹弯，接近银锭式样。托泥下又有小足支承。几足三弯腿式，弧度不大，落在托泥四角。其高度超出一般香几10余厘米，显得更加挺秀。造型新奇脱俗，多年仅见此一例。

76. 明黄花梨高束腰六足香几

面50.5×39.2、高73厘米。

几面扁圆，边缘凹凸不齐，略似初出水的荷叶。束腰甚高，分上下两层，因而也出现了双重的绦环板和托腮。绦环板上层透雕云纹，下层开鱼门洞。牙子分段相接，像披肩似的覆盖着腿足，与插肩榫的做法不同。腿足下半卷转特甚，尽端雕做花叶，下削圆球，落在台座上。硬木香几如此造型十分罕见。

77. 明黄花梨夹头榫酒桌

79×57、高76厘米。

类似的长方形小案，自五代、北宋以来即用于饮馔，画本如《韩熙载夜宴图》所见。家具之为桌、为案，北京匠师区别甚明，此明明为案形结体，但他们习惯称之为“酒桌”，我们也只得沿用。

此器面心用桦木。腿足圆材，素牙头，足间施双枨，可视为酒桌的基本形式。

78. 明黄花梨夹头榫酒桌

110×55、高81厘米。

与前例相比，此桌增添了装饰。牙条、牙头起边线，并锼出透空云纹。腿足混面起边线，而混面正中又起“一炷香”阳线。比较罕见的是腿足正面、背面做出几乎同样的线脚，所差的只是背面没有一炷香而已。一般的案形结体家具的腿足只有正面有线脚而背面是平的。

79. 明铁力插肩榫酒桌

94.7×50、高72厘米。

黑漆面心，周缘起拦水线。牙条的壸门式轮廓曲线很自然地与腿足相接。腿上起“两炷香”线，中部以下突出部分卷转如花叶。足端如卷云，下有小足已糟朽。此桌木质极旧而式样较早，制作年代当在明中期或更早。

80. 明黄花梨插肩榫酒桌

106×54、高83厘米。

与前例同为插肩榫，由于牙条狭窄，插肩榫也不得不缩短，酒桌的稳定性多少会受一些影响。插肩榫两侧在牙条上各透雕卷叶纹，这和夹头榫结构主要在牙头上做雕饰有明显的不同。酒桌用绿色纹石作面心，色泽淡雅，唯其产地尚待调查。

81. 清红木无束腰裹腿直枨仰俯山棂格半桌

97×63、高82厘米。

半桌裹腿做，边抹与直枨之间安仰俯山棂格。看面山字五组，侧面三组，数只宜单，否则便失去对称。桌用深色红木制成，远看以为是紫檀器。这是因为大量使用红木做家具时，此种造型已不多见，故不免使人有以上的错觉。

82. 清南柏无束腰直枨加矮老半桌

98.5×67、高84.5厘米。

直枨加矮老是常见的做法，但此桌矮老不交代在边抹底面，而交代在牙条上。牙条和直枨都劈料做，牙条贴着边抹部分还踩去一条，缩进约一指许，这样就仿佛出现了束腰。只是它被四足隔断，并不交圈，故仍是一件无束腰家具。直枨加矮老如此处理，并不多见。南柏色黄而洁净，略似黄杨，也是一种比较珍贵的木材。桌用桦木作面，有开裂处。

83. 明黄花梨有束腰斗栱式半桌

98.5×64.3、高87厘米。

在腿上安装像伸出臂膀似的角牙，上端翘起，略作龙头之状，支承着牙子，使人立即想到明清建筑中常用的雀替和栱子十八斗。在这里又看到家具和建筑的关系。

桌为黄花梨制，但被人染成黑色。这是因为清代中、晚期，崇尚紫檀，故有的黄花梨或花梨器，被染成深色来充当紫檀器。

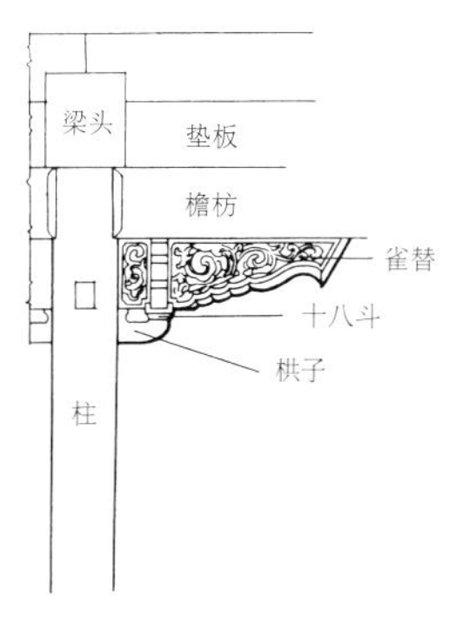

84. 明黄花梨有束腰矮桌展腿式半桌

104×64.2、高87厘米。

此桌外形可分为上、下两部。上部宛然是一具有束腰、方材、三弯腿外翻马蹄的大炕桌。下部则如无束腰家具的圆形腿足。足端鼓出，有如柱础，曾见无束腰方桌，腿足造型与此全似。上下貌如两段拼成，而腿足实为一木连做。类此形式不限于半桌，亦见于方桌（图版91）。曾向多位匠师请教其名称，未能得到具体答复，今姑名之曰“矮桌展腿式”。此种形式的出现当与传统家具的造型规律有关。此说已见《前言》，兹不复赘。

半桌束腰有波折，状如荷叶。看面牙条浮雕双凤朝阳，云朵映带，图案颇似明锦。侧面牙条刻折枝花鸟，又有万历彩瓷意趣。牙子下安龙形角牙，腿上安雕灵芝纹霸王枨。它雕饰虽繁，不为所累，却收到华丽妍秀、面面生姿的效果。

85. 明黄花梨无束腰罗锅枨加卡子花方桌

93.2×93.2、高80厘米。

此桌圆材直足无马蹄，罗锅枨加卡子花，是无束腰家具的基本形式。更为常见的是不用卡子花而用矮老。如用矮老，一般都高于卡子花，这样罗锅枨的高度就要下降，而桌下的空间将不及此桌那样空敞。

86. 明黄花梨一腿三牙罗锅枨方桌

98×98、高83厘米。

“一腿三牙罗锅枨”因每足与左、右两根长牙条及转角的一块角牙相交，其下又有罗锅枨而得名。不过此桌侧脚不大，桌面喷出不多，角牙只能做得很小，故不及后面两例（图版87、88）来得标准。

此桌的另一特点在它的线脚。腿足刨出八道凹槽，凹槽之间的脊线，犀利有力，由地面直贯桌面。牙条不宽，起皮条线加洼儿。罗锅枨采用剑脊棱线脚。这些做法使方桌显得骨相清奇，劲挺不凡。

87. 明黄花梨一腿三牙罗锅枨小方桌

82×82、高81厘米。

方桌每边小于一般方桌约10厘米，北京匠师称之为“六仙”。它侧脚显著，腿足上端向内倾斜较多，故桌面喷出较大，角牙也可以做得大些。桌面底面边缘加木条，仗栽榫连结及角牙承托，匠师称之为“垛边”。其目的在加大边抹冰盘沿的看面，并可遮挡牙条的上半，不使它全部外露，在视觉上增添了层次和深度。全身以光素为主，只方足倒棱为圆，两个看面各起阳线两条，可以视为一腿三牙方桌的基本形式。

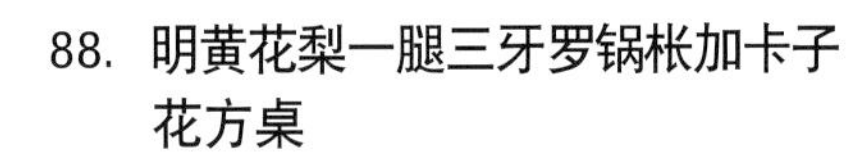

桌用大理石作面心。似为后配。

88. 明黄花梨一腿三牙罗锅枨加卡子花方桌

89×89、高85.5厘米。

腿足有棱有线，是匠师所谓的“甜瓜棱”的做法。罗锅枨上出现了小段的弯曲，并有钝尖。牙条与枨子之间安云纹卡子花。牙头锼挖卷草纹。这是在稳重的造型上又增添了清丽动人的装饰。可以断言，三件一腿三牙罗锅枨方桌以此件最为成熟。正因如此，传世的与此做法完全相同的明制方桌至少曾见到四件。这也足以说明在当时已成为一种标准的做法。

89. 明黄花梨无束腰攒牙子方桌

102.5×103.8、高84厘米。

攒牙子的做法是用不同长短的直材攒接成四块牙子，再用栽榫的方法把牙子安在方桌四面的腿足之间。此桌的攒牙子实际上是从罗锅枨加矮老变化出来的。所不同的是矮老与枨子构成完整的框格，故安装之后，边抹之下有横木和它贴着，腿足上端两侧有立木和它贴着，增加了构件之间的接触面，而不是矮老和枨子各自和边抹及腿足榫卯相交。

90. 明黄花梨有束腰喷面大方桌

128×128、高89.2厘米。

方桌边抹甚宽，向外探出，超过四足所占的面积，故名之曰“喷面式”。它不限于方桌，故宫博物院藏有同一造型的紫檀画桌。

此桌全身打洼，牙子与束腰一木连做。为了不使束腰全部被喷出的桌面遮挡，特意将边抹的下皮踩去一层，减薄了它的厚度，其目的和效果恰好和一腿三牙方桌的垛边相反。牙子下的扁长方框是攒成的，而托着它的角牙则是挖成的。两相结合，又仿佛出现了罗锅枨。

方桌尺寸超过一般的八仙桌甚多，未见更有大于此者。它的面心落堂做，有可能原为石面心。破损后被改为木板面心。

91. 清黄花梨有束腰矮桌展腿式方桌

93.5×91.2、高86.5厘米

此件造型与半桌（图版84）基本相同，也使用了霸王枨，但足间安罗锅枨代替角牙。罗锅枨两端借原本要去掉的木料透雕梅枝，使人立即和紫檀圈椅（图版56）上的雕花产生联想。四面牙条浮雕花卉，如与半桌的图案相比，时代显然要晚一些，故把它定为清前期制品较为适宜。

92. 明铁力板足开光条几

191.5×50、高87厘米。

条几用三块厚约二寸的铁力整板制成，直角相交处，用闷榫接合，去掉硬棱，做成圆角。板足开长圆形透光，足底卷书用另木拼贴而成，两个看面均打洼，此外不施任何装饰或线脚，故简练凝重，甚饶古趣。

93. 清紫檀无束腰裹腿罗锅枨加矮老条桌

106×35.5、高83.5厘米。

条桌虽为明式，但为清制。仔细玩味，做工极精，而不免有一种细谨矜持的感觉。加上格调相同的紫檀器如小条案、炕几、炕案等，故宫、颐和园所藏，总数有数十件之多，如图版68、69、95、96皆是。它们很可能是清代前期宫廷定制的家具。将来查阅造办处档案，或许能得到进一步的证实。

94. 明黄花梨无束腰罗锅枨条桌

112×54.5、高87厘米。

此桌在牙头上施加雕刻，遂使它和素牙头条桌焕然改观。雕刻技法为浮雕与透雕结合，花纹则与某些椅背的开光（图版46、57）相同而只取其半。花纹既能整用，又能半用，自下翻上后，两卷有如云气，与牙条上的边线相接。于此可看到明代家具装饰的灵活性。

95. 清紫檀壶门牙条条桌

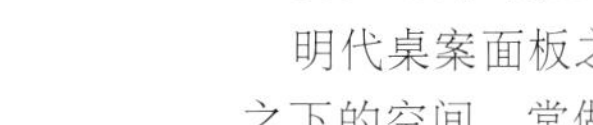

105×35、高83.5厘米。

明代桌案面板之下的空间或凳椅座面之下的空间，常做成壶门式的轮廓。它们均由上、左、右三面形成，故形象完整。此件条桌只在桌面之下用了一根壶门式的牙条，左右为圆形腿足，不能交圈，无法形成完整的壶门轮廓。从清宫旧藏的多件紫檀家具来看，清前期工匠曾试图在明代造型的基础上有所变化。他们的制品有的很成功，如一腿三牙条桌（图版96），有的则不甚成功。此乃属于后者。

96. 清紫檀一腿三牙条桌

105×36.5、高82厘米。

条桌亦为清宫旧藏，其造型乃将罗锅枨加矮老及一腿三牙罗锅枨两种形式揉合到一起。一般条桌四足垂直，此桌则侧脚显著。这是为安装角牙留出地位。一腿三牙式的牙条及角牙均用板材做成，此则化实为虚，采用细圆棍，乃是罗锅枨加矮老的做法。它发展了明代的形式，稳定简练而又明快疏透，是一种成功的设计。

97. 明黄花梨四面平带翘头条桌

112.5×48.5、通高86厘米。

案形结体的家具上常有翘头，桌形结体的家具上很少见，而此桌有小翘头。条桌上安抽屉，多为清式家具，明式条桌很少见，而此桌有扁小的暗抽屉三具。明式家具中有抽屉桌，但形式与此又大异。因其造型及做法越出常规，只能视为条桌的变体，所见仅此一例。

98. 明黄花梨霸王枨条桌

98×48、高78.5厘米。

桌面稍稍喷出，出现了一道很不明显的束腰，惟据其大貌，仍属四面平式。足下马蹄甚高，断面作曲尺形，乃是挖缺做。霸王枨大而低，因无枨子，腿足须仗它来加强连接。造型上的各种做法，并不常见，尚未见与此全同的第二例。

99. 明黄花梨高束腰条桌

98.5×48.5、高80厘米。

此桌腿足上截不露明，唯仍为高束腰式。牙条以下，壶门式轮廓非常完整。腿足中部花叶突出处，断面作曲尺形，即所谓挖缺做。马蹄有一双向上翘起的足尖。这些都是壸门床遗留的痕迹，可以帮助我们去追溯有束腰家具的渊源。牙条尽端正当弧线向下弯垂形成尖角的地方，因材料薄而木纹短，又系直丝，甚易劈裂。为此，牙条在里皮不甚显著的地方留着新月似的一块不予剔除。这样就对牙条的尖起了保护的作用。此种手法说明工匠对木料性能的了解，并采用了措施来解决装饰和坚实之间所产生的矛盾。

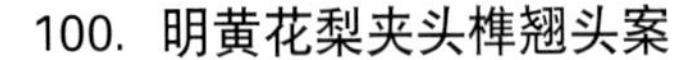

100. 明黄花梨夹头榫翘头案

126.2×39.7、通高86.2厘米。

翘头案四足着地，横枨只用一根，属于比较简单的做法。但观其细部，又用了一些不同寻常的手法。整条牙子用材较厚，表面并非平扁而是中间隆起，向四边渐渐铲出斜坡，周匝又加刻一道阴纹线，这样处理，予人精圆饱满的感觉。由于牙条厚，并不全部嵌夹在夹头榫中，而是包裹了腿足表面的一部分，与一般的夹头榫外貌不同。横枨并非平直而是拱起略似平桥。这些都出自梓人的意匠经营。此案不知何时被人染成黑色，是笔者亲手为它洗刷还原的。洗净后发现面心板为铁力木。看来当年染黑除了为迎合崇尚紫檀的风气外，也有掩盖面心板真相的意图。

101. 明黄花梨夹头榫带屉板小平头案

71.2×37.7、高81厘米。

在平头案案面之下不到一尺的地位，四足之间安横顺枨，枨子里口打槽装屉板，形成平头案的隔层。类此装置，大案罕见。一是四足在等高处凿榫眼，会影响其坚实，故枨端榫子宜小不宜大，即使装好屉板，也不能多承物品。二是大案为了就坐使用，案下必须留出空间。小案则根本不存在就坐使用问题。因此装屉板只限于小案，而且实例不多。

102. 明鸂鶒夹头榫直棂式平头案

87×43、高79.5厘米。

平头案足下安托子。托子以上挡板部位只安三根直棂，十分简洁。它还保留着隋唐以来直栅横跗案的遗意，仿佛是从日本正仓院藏的唐黑漆十八足几简化而成的。此种做法，宋代以前颇为流行，明代实物却不多见。

103. 明黄花梨夹头榫翘头案

141×47、通高83厘米。

案用素牙头，短小方正，棱角快利。足下有雕云纹托子，上安壸门式圈口。圈口之上，一般都有横枨，而它竟省略不用。案面用宽材作大边，抹头与翘头一木连做。其特点在翘头下打槽，案面板和大边上的榫子一直装入到翘头下的槽口内，这样它就将抹头压在下面，比一般攒边做的案面少露出两条缝隙，显得格外简洁。再看案面板乃选用黄花梨美材，花纹流动如涧水急湍，且有数处仿佛如“鬼面”。看来匠师是要充分显示木纹的美，所以才尽量保留其长度，采用了翘头下打槽装板的做法。

104. 明黄花梨夹头榫大平头案

350×62.7、高93厘米。

长达3米以上的明代黄花梨大案传世不多，工良材美的尤为难得，故此案在北京久为人知，是一件重器。它虽为攒边做，面心用一块整板装成，莹洁如玉。牙条牙头起皮条线，雕成两卷相抵图案，圆转有力。香炉腿之间有管脚枨，安圈口，由四块雕云纹的厚木条构成，使四角的旋卷花纹和下部正中涌起的云头来取得装饰效果。管脚枨之下不用一般条案常用的牙条，而再安一根两卷相抵的圆枨。因如此大案，单薄的牙条既难承托，而且比例权衡也会失调的。

105. 清榉木罗锅加枨卡子花平头案

84.5×37.5、高83厘米。

小案在看面的腿足之间安罗锅枨，上加两朵双套环卡子花。腿外吊头之下用木条做成透空的牙头，这都是以虚代实的做法。足下有托子，上安圆角的长方圈口。横枨之上还有开扁方形透光的绦环板。匠师越出常规，将上述的几种做法巧妙地结合到一起，运用自如，并没有给人标新立异之感，所以设计是成功的。小案长不及1米，故虽没有采用夹头榫或插肩榫结构，对它的坚实性影响不大。稍感欠缺的是四足用材嫌窄了一些。如果腿足的看面再宽出1厘米，整体的比例权衡可以更加匀称和谐。

106. 明黄花梨攒牙子着地管脚枨平头案

158×47.4、高84.5厘米。

此案的结构与外形都具特点。其结构貌似夹头榫而实为腿足上端出榫与面板格角相交。面板下的透空牙子乃攒接而成，用栽榫与腿足及面板连接。足底管脚枨，不是离开地面用齐肩膀与腿足相交，而是贴着地面与腿足下端格角相交。曾询匠师，不得其名，今姑名之曰“着地管脚枨”。

面板为“一块玉”，用厚板拍抹头做成。这样可以把不悦目的断面木纹遮没不外露。腿足及攒牙子，用料粗硕，攒接严密，这样不仅在一定程度上弥补了因不采用夹头榫而会带来不够坚实牢稳的缺憾，同时也使其外形显得整齐、方正而厚重。

107. 明黄花梨插肩榫翘头案

140×28、通高87厘米。

面板为“一块玉”，厚达3.5厘米，翘头与抹头一木连做。沿着牙、腿边缘起灯草线，腿足正中起“两炷香”线。插肩榫两侧在牙条上各锼卷云一朵，妙在卷云稍稍向内倾仄，云下又生出小小钩尖。倘将卷云摆正，或将钩尖略去，随圆转去，将使翘头案大为减色。案足在肩下不远处，做出花叶轮廓，恰好在其宽出的部位，凿眼安横枨两根。足端雕卷云纹，与南宋画中所见的案足有相似处。

108. 明紫檀无束腰裹腿罗锅枨画桌

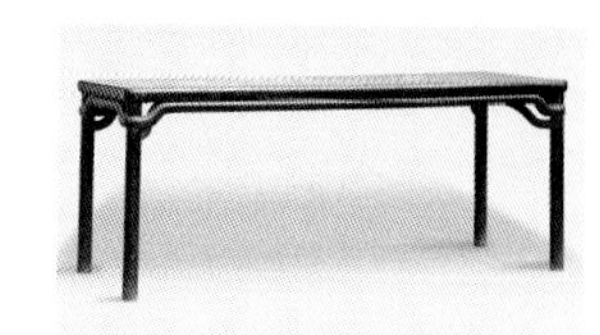

190×74、高78厘米。

此桌改变了最常见的罗锅枨加矮老或卡子花的做法，加大枨子的用料，紧贴桌面，把矮老或卡子花省略不用，这样就使结构更为简练，造型更为淳朴。为了不致因连接点上移而有损坚实，所以使用了霸王枨。

弥足珍贵的是画桌的明制黑漆面心完好无缺，精光内含，暗如乌木，断纹斑驳，色泽奇古，和黝黑的紫檀，相得益彰。

109. 明紫檀四面平式加浮雕画桌

173.5×86.5、高81.3厘米。

此桌黑漆面。遍体浮雕螭纹，刀工圆润，花纹奇古，惟其造型实为四面平式。四足中段挖缺做，尚可看到壶门床痕迹。类此制作的紫檀画桌，未见第二例。

画桌原为20世纪初名收藏家箫山朱翼盦先生书斋中物，购自古玩商荣兴祥主人贾腾云。贾购自满族古琴名家佛尼音布（字鹤伏，号荷汀），佛得自海淀汉军旗人朱某。朱某当为明成国公的后裔。所以这是一件流传有绪的明紫檀重器。

110. 明紫檀有束腰几形画桌

面171×74.4、肩180×85、高84厘米。

画桌腿足向外弯后又向内兜转，但并不位在四角，故虽接近鼓腿彭牙式而实不相同。足下有横材相连，横材中部向上翻出由灵芝纹组成的云头，故其造型实吸收了带卷书的几形结构，在画桌中是十分罕见的变体。

除桌面外遍体雕灵芝纹，朵朵大小相间，随意生发，丰腴圆润，和紫檀有束腰带托泥宝座（图版59）及紫檀四平式加浮雕画桌（图版109）刀法有相通处。

20世纪初画桌由牛街蜡铺黄家售出，为古玩商天和斋郭静安所得，郭售与苍梧三秋阁关氏。瓷器收藏家郭葆昌爱此桌而不可得，只好请工匠仿制，因缺少紫檀大料，终难相似。现原器及摹件并藏故宫博物院。

111. 明黄花梨夹头榫画案

151×69、高82.5厘米。

这是一件标准的明代画案，牙头镂成卷云纹，亦属常见。如果说此案和一般明式画案有所不同的话，那就在它的用料上，不论是边抹或腿枨无不大于和它尺寸相似的桌案。因而它颇具厚拙凝重的风格。

112. 明黄花梨夹头榫小画案

107×70、高82厘米。

这是一件接近标准式样的小画案，颇见神采的是牙头雕两凤相背，从古玉花纹变出，清新典雅，镂刻甚精。最为难得的是大理石案面，山峦起伏，树木莽苍，宛然是一幅泼墨山水画。

113. 明黄花梨夹头榫画案

138×75.5、高85厘米。

它不同于前两例，足间有管脚枨。既有了管脚枨，则枨上的一块方形空间，可以有多种做法，或用板条作圈口，或装透雕的挡板，或安攒接的棂格。此案则用圆材作圈口，在四角做成两卷相抵，轻盈空透，是一种不常见的做法。

114. 明黄花梨夹头榫高罗锅枨小画案

102×70.2、高81.5厘米。

这是画案中的极小者，因而有人认为它不是画案而是半桌。半桌用途以承置物品为主，画案则供人挥毫作画。此案罗锅枨拱起特高，尽量留出案下空间，以便就坐工作。从设计意图来看，应称之为画案。

此案腿足之间的一段牙条很窄，为的是和罗锅枨合起来，等于一般牙条的高度，这样看起来才舒服。

115. 明紫檀插肩榫大画案

192.8×102.5、高83厘米。

全身光素，边抹冰盘沿线脚简练，牙子、腿足边缘起灯草线，足端略施雕饰。它尺寸宽大，用材重硕，故采用可装可卸的做法。其构件组成及安装程序是腿足四，每两足各由两根方枨连接，形成一对H形的架子。腿足上部开口，顶端留前后两榫，前榫之下削出斜而长的双肩。首先插入开口与斜肩下部拍合的，是用厚约寸许的整板挖出的向上卷转的四个云头。云头上，再嵌插通长的牙条，与斜肩上部拍合。这时牙条已将一对H形的架子连接起来，形成有四足的支架。其次是将沉重的案面抬起摆到支架之上，大边之下的榫眼，与每条腿足顶端的两个榫子拍合。最后安装两侧面的两个牙条，组成完整的大案。总计全案可以分拆成十一个构件，计有H形架二，卷云牙头四，牙条四，案面一。

画案腿足的看面宽逾10厘米，因而斜肩部份斜长达20厘米。牙头、牙条与斜肩嵌插的槽口长，位置低，这对保证支架的稳定至为重要，正是大型硬木画案必须注意的问题。于此亦得知卷云牙头不仅是一种装饰，它承担着更为重要的负荷和加强连接的作用。

在此案的一块牙条上镌有光绪丁未（1907年）清宗室溥侗的题识，全文是“昔张叔未藏有项墨林棐几，周公瑕紫檀坐具，制铭赋诗锲其上，备载《清仪阁集》中。此画案得之商丘宋氏，盖西陂旧物也。曩哲留遗，精雅完好，与墨林棐几，公瑕坐具，并堪珍重，摩挲拂拭，私幸于吾有夙缘。用题数语，以志景仰。丁未秋日，西园嬾侗识”。按：西陂为宋荦号，明末清初人，以富收藏、精鉴别著名，其父宋权，祖宋缅，皆官居显要。此案制作古朴，当为西陂家中传世之物，自晚清以来，一向被推为第一紫檀画案。

116. 明黄花梨架几式书案

面板192.2×69.5、厚6、几69.5×36.5、高78.5、通高84.5厘米。

书案由两个长方几作支架，上面搭放一块面板组成，故匠师或称之曰“搭板书案”。

两几方材，足端做出矮扁内翻马蹄，落在托泥上，做法与长方形香几有相似之处。在几子中部设扁抽屉一具，上下空档任其开敞，不加圈口。案面做法采用攒边打槽装板，宽度与几子的纵深相等。全身光素，线脚棱角，爽利明快，论其造型乃是四面平式。

此案在1950年前后经鲁班馆张护福售出，曾经名师石惠修理。据张称它最初在海淀晓市上出现，面板长2.5米左右，因尺寸太大，恐难出手，故将案面截短二尺许。大器改小，竟遭破坏，甚为可惜。

117. 明铁力四屉桌

174×51.5、高87厘米。

它不同于一般的抽屉桌，足外有小吊头，安角牙，故颇似一件无闷仓的闷户橱（参阅图版153-156）。屉抽四具，分刻折枝花及吉祥草花纹两种，工不算精，但淳朴而有乡土气息，是一件难得的民间家具。

118. 明黄花梨两卷角牙琴桌

120×51.8、高82厘米。

桌面上下两层，形成一具共鸣箱，中有铜丝弹簧装置，一拍桌面，嗡嗡作响，是一具特制的琴桌。或谓此种装置，有助古琴音响。但名家如管平湖先生则认为弹簧干扰琴音，有损无益，乃出好事者所为。

桌为四面平式，安两卷相抵角牙，其一脱落，残缺待补配。

119. 明楠木嵌黄花梨有束腰加霸王枨供桌

152×82.5、高91厘米。

桌四边向内凹，四角委角，造型罕见。桌面髹朱漆。边抹立面、束腰及三弯腿均用黄花梨嵌，近似回纹、三角等花纹。四足形态仿青铜器，略似鼎足，嵌象纹。此桌用工甚繁，从形式到纹饰都似为供祀而作，不像是宅第厅堂中用具。

120. 明黄花梨有束腰直足榻

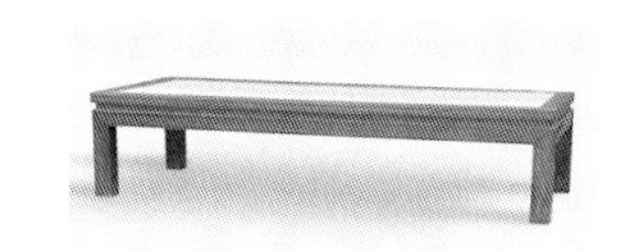

206.5×80.2、高46.4厘米。

宽度不及1米，是单人用的卧具。

有束腰家具，足端多有马蹄，此件例外，有束腰而直足无马蹄。

在有束腰的明代桌、凳中，还可以看到相似的实例，均为方材，通体打洼。这类桌凳为什么与传统家具的造型规律不符——有束腰而无马蹄，看来不在打洼而在方材。因为打洼的腿足下有马蹄并不罕见。而在方方正正、上下如一的腿足上挖制马蹄，却会感到斤斧难施，无从措手的。

121. 明黄花梨六足折叠式榻

208×155、高49厘米。

大边在中间断开，用铁鋄银合页连接，可以在此对折。中间的两足，上端做成插肩榫，用一根横材连接成H形的支架，当榻展开放平时，足上榫子与牙子拍合。榻折叠时，H形的支架可以取下来。位在榻四角的腿足，可以折叠后放倒卧在牙条之内。榻的折叠情况及腿足关节结构见插图。

榻为有束腰三弯腿外翻马蹄式，牙子及腿足浮雕卷草、花鸟、走兽花纹，雕刻稍嫌庸俗，但其形制实不多见。明文震亨在《长物志》中讲到永嘉、粤东有折叠床，与此造型可能有相通处。

122. 明紫檀三屏风独板围子罗汉床

197.5×95.5、通高66厘米。

这是一件单人罗汉床，全用紫檀制成。三块厚板作围子，不加雕饰，十分整洁。只后背一块拼了一窄条，这是因为它必须高于左右两侧方为合格，而紫檀又难找到大料的缘故，能用料如此，已属难能可贵，不应更有苛求。床身边抹用素冰盘沿，仅压边线一道。腿足用四根粗大圆材，直落到地。四面施裹腿罗锅枨加矮老。此床从结构到装饰都简练之极，使人视觉上得到满足和享受，无单调之嫌，有隽永之趣，是一件明代家具精品。

123. 清榉木三屏风攒边围子罗汉床

200×92、通高88厘米。

后背围子中高旁低，貌似五屏风，实经攒边装板，做成一块，故仍是三屏风。装板用高浮雕刻螭虎灵芝纹。据其高度，非厚板不能刻成。可知此种装板高浮雕并不是为了节省木料，而是为了取得花纹饱满圆润的装饰效果。其题材及刀工，纯属明风。床身也是牙条与束腰一木连做，大挖鼓腿，马蹄兜转有力，亦为明式手法，惟其制作年代据吴县东山镇藏者称已入清。

124. 明铁力床身紫檀围子三屏风罗汉床

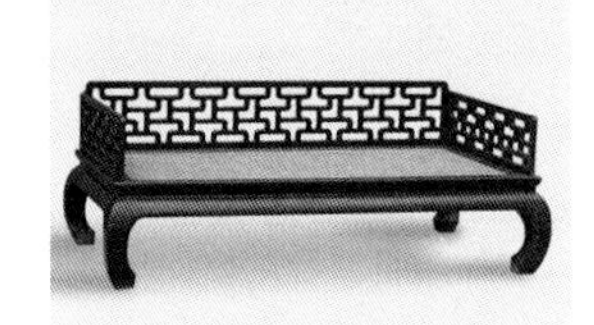

221×122、通高83厘米。

床身有束腰，鼓腿彭牙式。围子用攒接法做成曲尺式。此种棂格在云冈石窟北魏栏杆上已见使用。明代家具从古代建筑吸取素材，又是一证。

鼓腿彭牙式床身，需用大料，而紫檀难求，这或许可以解释何以此床使用了两种不同的硬木，但仍不能排除床身和围子乃由两床配成的可能性。

125. 清紫檀三屏风绦环板围子罗汉床

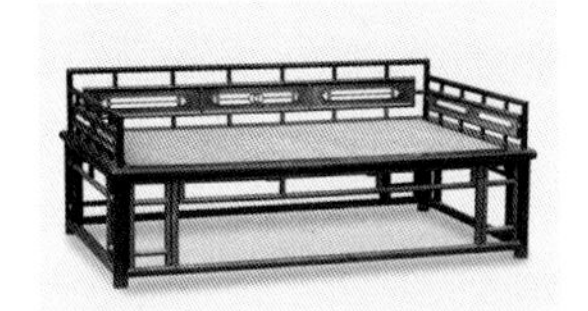

216×130、通高85厘米。

床身无束腰，设管脚枨。其结构从正面的管脚枨来看，距腿足尺许的部位安立材。立材与腿足之间形成的空间装竖方框，左右各一。立材与立材之间的空间，装横楣子式的窄横方框，使管脚枨上留有较大的空间，以便垂足坐在床沿时，即使无脚踏，管脚枨亦可供人踏足。床足圆材，如一般椅子的做法，上截穿过凿在边抹四角的圆孔，顶端斜切45°，做成闷榫。三面围子如与南官帽扶手椅相比，后背最上一根等于椅子上的搭脑；两旁两根等于扶手。这三根横材尽端也斜切45°，做成闷榫，与四足上端拍合。围子中间设绦环板，用短材与三根横材及床身的边抹连接拍合。绦板开鱼门洞，造型从南方所谓的“炮仗筒”变出，两端又增添小形的开孔。与此相同的鱼门洞曾在吴县洞庭东山严家的榉木罗汉床上见到，我们有理由相信此床亦为吴县地区的制品。

此床工料极精，形象秀丽，惟正中一块绦环板鱼门洞中留出横木一条做成绳纹，即北京匠师所谓的“拧麻花”，稍嫌甜俗。但其整体构件与元刊本《事林广记》版画中的床有相似之处，说明其造型是有来历的。

此床的主要构件均用紫檀，所有仔框包括绦环板则用一种深黄色软性木材，两相配合，十分醒目。深黄色木材曾向几位老匠师请教，都未能道出其名称，究竟为何种木料，有待植物学家鉴定。

126. 明黄花梨带门围子架子床

218.5×147.5、通高231厘米。

带门围子架子床，因有立柱六根，故又名“六柱床”。正面两块方形门围子及后、左、右三面长围子，都用短材攒接成整齐的卍字图案。床顶四周的挂檐则由镂花的绦环板组成。在同类的架子床中属于雕饰较繁的一件。明万历本《鲁班经匠家镜》插图中有一件，围子平列单卍字，对比之下，简易甚多。

127. 明黄花梨架子床围子透雕残件

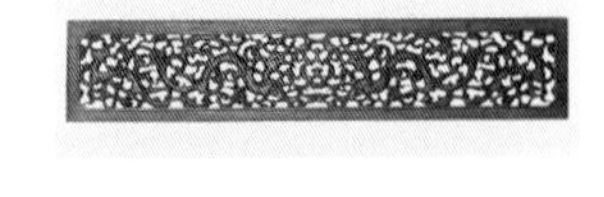

门围子透雕34.2×26.2、厚2.4厘米。

侧面围子透雕129×27、厚2．4厘米。

这是50年代从通州居民家中收集到的透雕花板。据其形制得知是架子床门围子及侧面围子的残件，透雕两面做，刀工娴熟快利，确为明制。

通州是漕运的终点，南方制的硬木家具，多随米船北来，因而黄花梨家具过去在通州时有发现。到20世纪中期，所剩的只是一些残件而已。

128. 明黄花梨月洞式门罩架子床

247.5×187.8、通高227厘米。

门罩用三扇拼成，上半为一扇，下半左、右各一扇，连同床上三面的矮围子及挂檐均用四簇云纹，其间再以十字连接，图案十分繁缛。由于它的面积大，图案又由相同的一组组纹样排比而成，故引人注目的是匀称而有规律的整体效果，并不使人有繁琐的感觉。

床身高束腰，束腰间立短柱，分段嵌装绦环板，浮雕花鸟纹。牙子雕草龙及缠枝花纹。挂檐的牙条雕云鹤纹。它是明代家具中体型高大而又综合使用了几种雕饰手法的一件，豪华秾丽，有富贵气象。此床由古玩商夏某得自山西，后捐赠给故宫博物院，原为明代苏州地区制品。床上左后角一根立柱乃用榉木配制，是一旁证。

129. 明紫檀有束腰腰圆形脚踏

72.5×36、高17厘米。成对之一。

明代罗汉床及架子床多设脚踏，造型与床身一致，两相配合，惟年久多已散失。此件鼓腿彭牙式，作腰圆形，中部稍细，又略具银锭形，是脚踏中的变体，附在床榻类之末，以备一体。

130. 明黄花梨三层架格

103×43.6、高188厘米。

这是一件三层全敞式架格，即各层完全开敞，四面无任何装置。它和架格的最基本形式所不同的只是多了两具抽屉而已。

131. 明黄花梨品字栏杆架格

98×46、高177.5厘米。成对之一。

架格方材，打洼，踩委角线。格板三层，上层之下，安暗抽屉两具。抽屉脸浮雕螭纹，不受吊牌或拉手所扰，花纹生动完整。三面栏杆用横竖材攒成，是品字棂格的变体。最上两道横材之间加双套环卡子花。底层之下用宽牙条，雕分心花及云纹。整体比例匀称，装饰繁简得宜，轻盈富丽，风貌不凡。

132. 明黄花梨透空后背架格

107×45、高168厘米。

架格两层，三面壸门式卷口。上层卷口未落到底，距屉板尚有二、三寸距离，上层似原有三面小栏杆，脱落尚未补配。后背用活销安装扇活，可装可卸。扇活透空花纹以四瓣枣花作心，将四根略作S形的弯材集中到枣花上，制成波纹图案，略似《园冶》卷二栏杆第46的波纹式。斗接甚精。两层之间设抽屉两具。

长期以来，对架格后背扇活为原有或后配，有所争议。《园冶》图式，至少证明自明代以来即有此种透空棂格。

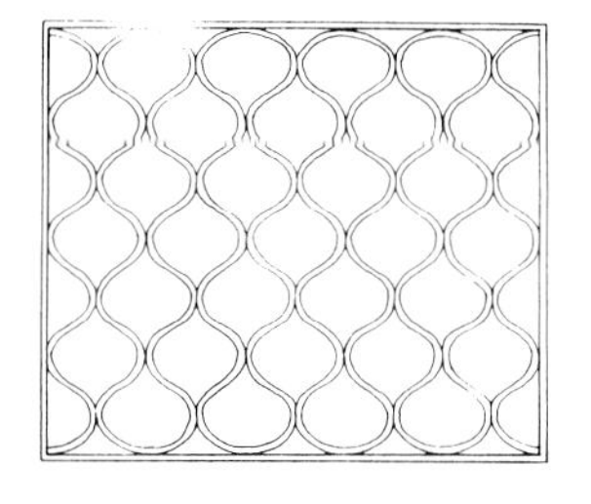

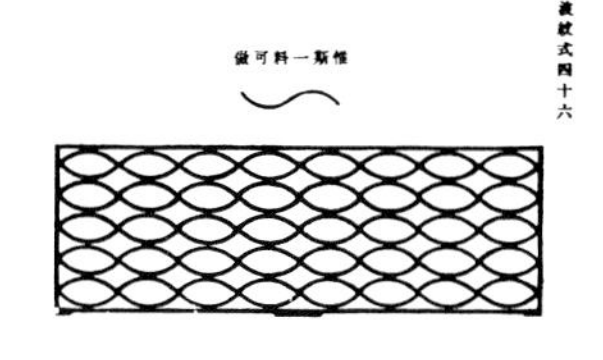

133. 明紫檀三面攒接棂格架格

101×51、高191厘米。

架格三层，通体紫檀，只后背正中直贯三层的板条为黄花梨。棂格图案从所谓“风车式”变出，于欹斜中见齐整。正如前例（图版132），对此架的棂格为原有或后配有争议。持疑议者认为：黄花梨板条乃因后配的扇活宽度不够而增添，棂格左右不对称亦非原扇活所应有。当然问题的症结只在棂格是否为后配。至于架格有三面设棂格的做法，则是无庸置疑的。

134. 明黄花梨几腿式架格

架格91×40、高129厘米。

架格下缺长方几一对。

架格本身无足，用两几来支承，是架格的变体。通体方材打洼，三层，中层之下安抽屉两具。抽屉脸落堂踩鼓，有吊牌拉手。后背用两块攒边打槽装板的扇活做成。正面每层上角安透挖云头角牙，也铲出洼面。两侧安起边线的圈口，空档为圆角长方形。

支承架格的两件长方形几子，也用方材打洼。每个几子有四个略向外撇的小足，和几腿一木连做。几子面的四边有三条边起灯草线，只两几相邻的两条边不起线，为的是架格摆到两几上时，坐在灯草线内，可以入槽摆稳。因此，架格底面所占的面积小于两几所占面积一灯草线。两几惜于十年浩劫中散失，仅有旧照片可以参阅，见插图。

135. 明紫檀直棂架格

架格100.3×48.2、高132、几100.3×48.2、高47、通高179厘米。成对之一。

此类制作考究、专为摆放图书和文玩的架格，北京匠师仍采用民间俗称：“气死猫”。

架格由上、下两部组成，下有几座。上部分三层，后背装板，正面木轴直棂门两扇。直棂分三段，中以两道扁方框作间隔。侧面透棂做法相同，与正面交圈。几座设抽屉两具，下有屉板，中部留有空间。屉板下安素牙头。架格除后背、屉板及抽屉内部用铁力外，全部用上好紫檀，选料甚精。造型整齐而圆浑，工艺精绝。鲁班馆家具店十馀家，三十年间仅见此一对。

136. 明黄花梨万历柜

柜113×55.5、高166、几115×57.5、高21、通高187厘米。

上层亮格有背板，安券口，稍用回纹，栏杆浮雕螭纹，余均光素，只矮几略有纹饰，与上部相呼应。它繁简适中，比较接近万历柜的基本形式。

137. 明黄花梨雕花万历柜

柜124.8×55.5、高172、几126.5×57、高23.5、通高195.5厘米。

亮格有后背板，三面券口及栏杆都透雕寿字及螭纹。每扇柜门中间加抹头一根，上下分成两格，装板为外刷槽落堂踩鼓。上格方形，委角方框中套圆光，浮雕牡丹双凤，四角用云纹填实。下格略呈长方形，浮雕牡丹双雀。几子在牙条上雕卷草纹。柜内有隔层，并安抽屉两具。所见万历柜以此对雕饰最繁，有富贵豪华气象。

138. 明黄花梨上格双层亮格柜

119×50、高117厘米。

双层亮格，后背空敞，三面壸门式券口。此下平列抽屉三具，设在柜门之外，与前例（图版137）柜内设抽屉不同。柜内有屉板，铜钮头两枚钉在屉板上。柜门关后，钮头穿过柜门的大边及铜面叶，露出在面叶之上，可以穿钉加锁。凡如此安装钮头者，柜门上的铜饰件多卧槽平镶，即依饰件的外形及厚度，将家具表面铲剔成槽，饰件镶钉在槽内。镶钉完成后，饰件表面与家具表面平齐，故曰平镶。

此柜柜门板心平镶不落堂，也与前例（图版137）异。平镶的门扇，钉平镶的铜饰件，颇为常见。匠师似乎有意这样配合，使器物表面显得格外整洁。

139. 明鸂鶒圆角炕柜

65.5×39.5、高64厘米。成对之一。

此类小型圆角柜，北方多放在炕上使用，故曰炕柜。大型圆角柜，柜顶装板多落堂，而此则为平镶，乃出于实用的考虑。矮柜的柜顶是可以充分利用来置放物品的。

140. 明黄花梨透空后背架格、鸂鶒圆角炕柜合影

从合影可以看到炕柜的高度还不到架格的一半。

141. 明黄花梨圆角柜

柜顶77×41、足底76×39.5、高130.5厘米。

这是一具全身光素，有闩杆，无柜膛，比较标准的中型圆角柜。

圆角柜根据测量，四足下舒上敛，向内倾斜，侧脚显著。柜顶喷出，俗称“柜帽”。一般说来柜帽喷出的尺寸，就是足下端与足上端相差的尺寸。不过有的柜帽稍稍大于足底，如此例便是。这样的圆角柜如成对并列，柜帽挤严，两柜足底之间还稍有空隙。有的柜帽却稍稍小于足底（图版142），成对并列，足底挤严，而

柜帽之间还稍有空隙。总之，柜帽之设，首先是为了有地方挖门臼，门扇的上轴得以安装；同时也是为柜子的造型。不难设想，下大上小的立柜，如无柜帽，单摆既不美观，并列更是不堪入目。

142. 明榉木圆角柜

柜顶94×49、足底95×50、高167厘米。

这是一件有门杆、有柜膛的圆角柜。柜内有抽屉架，安抽屉两具，啥红色漆裹。一切做法包括漆工及铜饰件与许多明代黄花梨圆角柜并无差异。原来正面牙条已散失，现有者据侧面牙条的形状补配，正中有一段稍稍高起，与黄花梨变体圆角柜（图版144）的牙条有相似之处。

此柜来自吴县洞庭东山石桥村，即明大学士王鏊的故里。当地农民称之曰“书橱”，据说是过去官宦书香人家才有的家具。

143. 明铁力五抹门圆角柜

柜顶98×52、足底97×51、高187.5厘米。

柜门用四段五抹攒成。其中的三段在桦木上镶贴薄板圈口，中间开光露出桦木板，部份圈口已脱落。有柜膛。柜膛立墙安两柱，分三段装成。

分段攒门往往可以利用开光增添装饰。惟据圆角柜的造型，下大上小，似乎只有整板装门方能见其神采。如用花纹华美的厚板剖开分装两门，使纹理相对，尤妙。这里采用五抹门一例，只是聊示一格而已。

144. 明黄花梨变体圆角柜

106×53、高175.5厘米。成对之一。

这是圆角柜中的变体，也可以说是“一封书”式的方角柜。从柜子的背面来看，并无柜帽，而且用的是方角的粽角榫。只是正面柜顶横木略具柜帽之形，尤其是两端各凸出一个半月形，在这里挖臼窝，纳门轴，所以从正面来看又很像是圆角柜。它选料极精，柜门板心及两侧柜帮用的几乎都是独板，只拼约两寸宽的板条，看得出是用整齐的大株原材开板制成的，做工也熟练精到，是一对式样罕见而工料皆精的明代柜子。

145. 清黄花梨方角柜

82.5×47、高161厘米。

这是一件硬挤门、无柜膛的“一封书”式方角柜，柜身大框包括门的边抹都打洼，是此类明式柜子的常见做法。惟牙条直而宽，沿边起线锐而立，转角僵硬。从意趣方面看，其制作年代可能已接近清中期。

146. 明黄花梨四簇云纹方角柜柜门

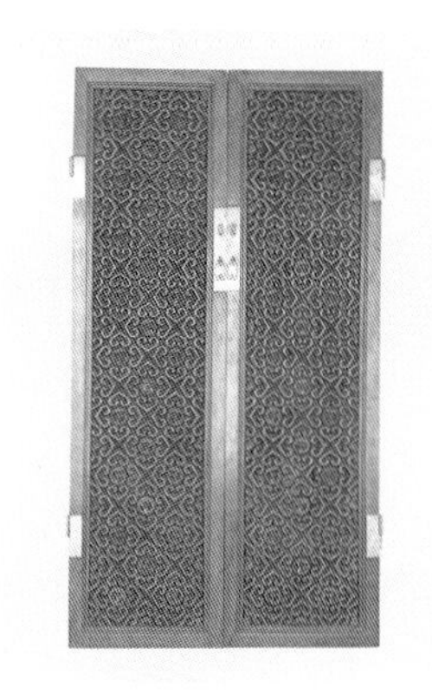

每扇门高168、宽47、厚5厘米。

方角柜残缺待修整，柜门却完整无缺，因它在制作上颇具特色，故收入图册。它和一般用斗簇方法做成的罗汉床围子或衣架中牌子不同，并不透空，而是门扇落堂装板。落堂的深度等于斗簇花片的厚度。四簇云纹及中心的团螭都用胶粘牢在装板上，而不是像透空的床围子或衣架中牌子那样，每组花片之间用栽榫连接。这种斗簇方法比较简易，但也有缺憾，即年久脱胶，花片容易脱落。

门扇雕饰经过精心设计，每扇四簇云纹完整者三行，左右两边各半行。云纹中心的团螭正中的一行为正面，左行面右，右行面左，规律井然，形成华美动人的图案。至于柜身，却基本光素，和纹饰繁缛的柜门形成对比。

147. 明黄花梨大方角柜

123.5×78.5、高192厘米。成对之一。

这是一件罕见的大型方角柜，大框及柜门边抹一律用素混面两旁起灯草线，正面及两侧牙条镀出壶门式曲线。这些做法常见于圆角柜，而很少见于方角柜。后背糊布髹黑漆，断纹细而密。它造型雄伟，而审视其细部，又很圆熟，故不论远观近玩，皆饶古趣。它和前例打洼方角柜（图版145）相比，年代早晚，判然易辨。

148. 清黄花梨小四件柜

立柜69×37、高125、顶箱69×37.5、高37、通高162厘米。成对之一。

这是四件柜中较小的一种，也可以放在炕上使用，虽大框甩镶，并非上品。为说明种类，特收此一例。

149. 清黄花梨百宝嵌大四件柜

立柜187.5×72.5、高195、顶箱187.5×72.5、高84、通高279厘米。

柜门侧旁有余塞板，用活销与柜连接，可装可卸，故立柜及顶箱都等于有门四扇。它的面宽大于一般四件柜，北京匠师称之为“朝衣柜”，言官员朝服不用折叠便可放入柜内。柜为四面平式，以使用百宝嵌为饰。所嵌人物多来自异域殊方，持捧各种珍宝，间以狮象怪兽，是职贡图一类题材。嵌件用各色叶蜡石及螺钿制成，并无特殊珍贵物料，其价值自然低于高面盆架（图版171）的百宝嵌。更因此柜实为黄花梨包镶，所以不是真正考究的家具。任何时代，任何器物都有工料精良和华而不实两种货色，观此信然。

150. 明黄花梨插屏式座屏风

足底150×78、高245.5厘米。成对上一。

屏风底座用两块厚木雕抱鼓作墩子，上树立柱，以站牙抵夹。取与《鲁班经匠家镜》中的图式相比，有相同之处。两立柱间安枨子两根，短柱中分，两旁装雕螭纹绦环板，枨下安八字形的“披水牙子”，浮雕螭纹。屏风插入立柱内侧槽口，可装可卸。它以边抹作大框，中用子框隔出屏心，上下左右留出地位，嵌装四块窄长的绦环板，也都透雕螭纹。屏风虽高近2.5米，却显得玲珑而精巧。屏心为玻璃油画仕女，时代约为乾隆或稍晚，显然是后装的。论其造型结构，可上溯到南宋，如《十八学士图轴》所绘的一件。

151. 明黄花梨小座屏风

底座73.5×39.5、高70.5厘米。

这件作为案头陈设的小屏风却忠实地摹仿了大型座屏风。故宫景仁宫内明代白石座屏风，大如照壁，二者颇相似。尤其是屏风边框内的分隔，都把屏心上、下各横分为绦环板三块，两侧各竖分为两块。它们的差异在白石座屏风底座雕蹲龙，小座屏风在墩座上做出如意云头抱鼓蕖花安站牙，和清代则例规定的做法很相似。不过我们相信此种做法明代早已流行，不自清代始。屏心原装大理石板，因破碎而不得不撤去。

152. 明黄花梨插屏式小座屏风

底座38×15、高36.5厘米。

插屏边框打洼，底座两根立柱及枨子平面踩委角线，这是一件家具使用两种线脚的例子。取此与前例（图版151）及大型插屏式座屏风（图版150）相比，可见已简化了许多。绦环板被略去；披水牙子只剩一条，改为垂直安装；墩子尚有抱鼓，直径缩小而内移；站牙也已简化。不过大体上还保持着墩座的形态。屏风形体既已大大缩小，构件逐不得不简化。几件屏风的对比，使我们看到了家具是如何由大而小，构件是如何削繁就简的。

153. 明铁力闷户橱

98×47、高185厘米。

这是一件明代的民间家具，全身光素，橱面大边用透榫，抽屉脸用明榫。闷仓之下用罗锅枨代替牙条。尤其是两侧面使用了又宽又厚的大材作闷仓的立墙，使人感到工匠所追求的主要是坚实耐用，而不去考虑那些明榫是否会影响整洁，厚墙是否会显得笨拙。

154. 明黄花梨螭纹联二橱

112×59、高89.5厘米。

联二橱正面各部位都雕螭纹，只有牙条雕缠莲纹。此种螭纹近似草龙，尾部可以恣意卷转，布满构件的空间。闷仓立墙及抽屉脸采用了落堂踩鼓的做法，使花纹显得醒目饱满。抽屉脸正中的浮雕下垂云头，中留空白，是专为安装铜饰件而设计的。二者配合完美，可知铜饰件确为原来所有。闷户橱上的面叶以圆形、方形的较为常见，而此橱为窄长的面叶提供了实例。

155. 明黄花梨龙纹二联橱

60×52、通高90厘米。

橱面有翘头。抽屉脸贴券口，北京匠师据其形态称之曰“灶火门”。券口下安带拉手的方形铜面叶，锁销可从券口之后的缝隙穿过，插入橱面大边底面的销眼内。此时锁销下端的圆筒与安在面叶上的两个锁鼻正好平列，如穿钉加锁，可将抽屉锁住。

闷仓立墙雕双龙戏珠。龙皆生翼，通称“飞龙”。翼龙为明代流行图形案，常见于青花瓷器及雕漆剔红，实即古代所谓的“应龙”（见《淮南子》及班固的《答宾戏》）。吊头下，前后都安挂牙，共四块，均有雕饰，在闷户橱中很少见。

从整体比例来看，闷仓留得太深，虽能增大容量，形象难免笨重。牙条卷草纹很流畅，龙纹及券口的雕饰又有些粗率。它颇像是乡镇居民的用品，而不是大户人家的精制家具。

156. 明黄花梨三联橱

177.5×56.8、通高90.5厘米。

橱面有翘头，抽屉脸贴壶门式轮廓券口，安带拉手圆形铜面叶。全身光素，只吊头下的挂牙锼出曲线与券口相呼应。闷仓立墙中加立柱，分两段安装，这样做比通长的立墙更为坚实。

157. 明黄花梨小箱

42×24、高18.7厘米。

它可代表明代小箱的基本形式。全身光素，只在盖口及箱口起两道灯草线。此线起加厚作用，因盖口踩出子口后，里皮减薄，外皮如不起线加厚，便欠坚实。故此线不仅是为了装饰，有更为重要的加固作用。正由此故，起线成为小箱的常见做法。

立墙四角用铜叶包裹，盖顶四角镶钉云纹铜饰件。正面圆面叶，拍子云头形。以上铜饰件均卧槽平镶。两侧面安提环。

158. 明黄花梨方角柜式药箱

38×27.5、高46厘米。

外形宛然是“一封书”式小方角柜，打开柜门方知内安抽屉，乃是药箱。当然，此种小型家具既可贮放药饵，亦可收藏其他器物；虽备存储之功，也不妨用作案头陈设。

159. 明黄花梨提盒式药箱

底座78×45、箱身69×41.5、通高77厘米。

两开门，内设抽屉十八具。通体用黄花梨，连后背及抽屉的帮、底也不用其他木材，是北京匠师认为十分难得的“彻”黄花梨家具。箱下有底座，在两侧及箱顶做出立柱、站牙和提梁。用料纤细，意在摹拟提盒式样，仅是一种装饰而已。铜饰件卧槽平镶，表面十分整洁。

160. 明黄花梨提盒

36×20、通高21.3厘米。

长方框用两带连接作为底座，在抹头上树立柱，有站牙抵夹，上安横梁。以上构件相交处均嵌镶铜叶加固，盒两撞，上一撞口内设平盘，连同盒盖共四层。下撞盒底落在底座槽口内。每撞沿口均起灯草线，意在加厚子口，与小箱（图版157）的做法相同。盒盖两侧立墙正中打眼，立柱与此眼相对处也打眼，用铜条贯穿，以便把盒盖固定在两根立柱之间。由于下撞盒底稳坐入槽，各层均有子口衔扣，盒盖又有铜条贯穿，故无错脱之虞了。

161. 明瀏鶒都承盘

35.4×35.4、高15.4厘米。

盘方形，四面做成井字式栏杆，北京匠师或称之为风车式。下设抽屉两具。选材用纹理华美的瀏鶒木，灿绚可爱。栏杆的四角立柱直通盘底，形成方盘的角柱。三面盘墙，均用整板，板端出长榫，和四根角柱榫卯相交，与常见的攒框打槽装板结构不同。它为制作墙柱结构家具提供了一种值得注意的做法。

162. 明黄花梨折叠式镜台

49×49、支起高60、放平高25.5厘米。

镜台上层边框内为支架铜镜的背板，可以放平，或支成约为60°的斜面。背板用攒框做成，分界成三层八格。下层正中一格安荷叶式托，可以上下移动，以备支架不同大小的铜镜。中层方格安角牙，斗成四簇云纹，中心故使空透，系在镜钮上的丝绦可以从这里垂到背板的后面。其余各格装板雕螭纹。装板有相当厚度，且为“外刷槽”，使图案显得分外饱满精神。底箱两开门，中设抽屉三具，四足内翻马蹄，造型低扁，劲峭有力。此器不仅设计谨严，木工雕刻处处精到，看面用材也经过精选，每块装板均有深色花纹，是明代小型家具精品。

163. 明黄花梨宝座式镜台

43×28、高52厘米。

镜台设抽屉五具，抽屉前脸浮雕折枝花卉。两侧及背面均装板，分别刻兽纹及斜卍字。台座之上的后背和扶手，均装板透雕，两面做。正中一块两凤背身回顾，左右两块为果树，图案整齐而生动。搭脑中间拱起，两端下垂，又略返翘，圆雕龙头。扶手出头采用同样的圆雕。扶手内侧安角牙，雕做伏身而仰觑的双螭，意在突出正中的部位，使铜镜支架在这里，显得光辉生色。台面正中原有装置，为支架铜镜而设，已失落。

镜台的结构也颇具特色。四足用材粗硕，约3厘米见方，最下一段分明可见。此上则削去约四分之三，只剩一角，形成镜台的四根方形角柱。再上又削方为圆，上承宝座的扶手和搭脑。以上三段为一木连做。从用料来看，有些浪费，因大部份被削去。倘从结构来看却比三段分做坚实甚多，而且用工亦省。

镜台与前例相比，从造型及雕饰来看，均显得时代较早，可能是明中期的制品。

164. 清黄花梨五屏风式镜台

55.5×36.5、高72厘米。

镜台两开门，中设抽屉三具。台上四周安望柱栏杆，中安座屏风，屏风脚穿过台面榫眼，植插牢稳，并可装可卸。屏风五扇，每扇由三块绦环板及亮脚构成。中扇最高，左右递减，并向前兜转。各扇搭脑均远跳出头，圆雕龙头。最上一块绦环板浮雕云龙。屏风前是支架铜镜的地方，原有装置亦已散失。镜台雕刻甚精细，但龙的造型已无明代意趣。

镜台已破损，残缺待修配。

165. 明黄花梨官皮箱

35×23.5、高37厘米。

此箱大小适中，平顶，全无雕饰，乃是官皮箱的基本形式。底座用厚板镟曲线，予人一种稳重感，而这不是多数官皮箱所有的。

166. 明黄花梨凤纹衣架

底座176×47.5、高168.5厘米。

衣架以厚木两方作墩子，上植立柱，每柱前后用站牙抵夹。两墩之间安装由纵横直材组成的棂格，这样使下部连接牢固，并有一定的宽度，可摆放鞋履等物。此上加横枨和由三块透雕凤纹绦环板构成的中牌子，图案整齐优美。最上是搭脑，两端出头，立体圆雕翻卷的花叶。凡横材与立柱相交的地方都有雕花挂牙和角牙支托。

在所见雕花衣架中，这是选材、设计和雕工制作最精美而又保存得最好的一件，虽一再在外人编写的图籍中刊出，幸尚保存在国内，未随海舶而西。

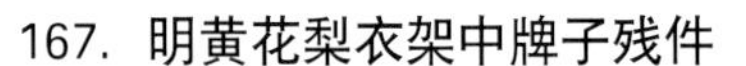

167. 明黄花梨衣架中牌子残件

中牌子方框144.5×29.4厘米。

中牌子虽为残件，但能看出和前例（图版166）做法不同。它的两侧立材上端出头做成莲花柱顶，下端向下延伸，与枨子接合，形成一个构件后，再与衣架的立柱榫卯相交。前例则并无连接中牌子及枨子的立材，而是中牌子及枨子各自和立柱相交。中牌子的斗簇花纹做得非常优美，修长的凤眼，卷转的高冠，犀利的阳纹脊线，两侧用双刀刻出的“冰字纹”，乃从古玉花纹变出。它不同于明代家具的常见图案，而取材于千百年前的造型艺术，故予人典雅清新之感。纵非完器，同样值得我们珍视。

168. 明黄花梨六足折叠式矮面盆架

径50、高66.2厘米。

盆架用圆材作腿足，有如栏杆的望柱，刻仰俯莲纹，刀简而意足，绝妙。六足中仅两足上下有横枨连接，把它们固定在一起。余四足上下均安短材一段，匠师称之曰“横拐子”。横拐子一端开口打眼，用轴钉与嵌夹在上下两根横枨中间的圆形木片穿铆在一起，因而四足是可以折叠的。盆架不用时可将四足折并，把有横枨的两足夹在中间，合成每边三足，体积平扁，便于收存。历来寺院及舞台所用鼓架也多采用此种结构。

莲瓣式铜盆，中心隐起莲塘水禽图，花纹有定窑白瓷意趣。盆边有宋体阳文“匠人杨世福造”款识，当为宋或辽、金时物。置之架上，大小巧合。

169. 明黄花梨高面盆架

径58.5、高168厘米。

盆架搭脑出跳圆雕灵芝纹，搭脑下圆材卷转锼成挂牙，如嫩芽初茁。中牌子四角的角牙为两卷相抵，中为四簇云纹，但实用两片木材锼成。整体予人一种疏朗明快的感觉，其艺术价值反胜过雕工甚繁的下一例（图版170）。此架曾在《中国黄花梨家具图考》刊出，后归陈梦家、赵萝蕤教授收藏。

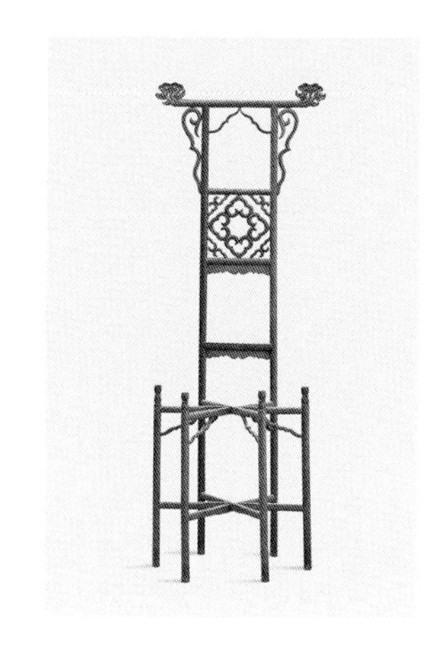

170. 明黄花梨雕花高面盆架

径60、高176厘米。

此件雕饰比上例（图版169）繁缛得多。搭脑出跳圆雕龙头，搭脑以下空间安壶门式券口。挂牙锼雕草龙。中牌子嵌装透雕花板，采用麒麟送子吉祥图案，并以树石、芭蕉等作点缀，花纹喧炽，但未免稍嫌甜俗。它很可能是当年嫁女之家向坊肆定制的。

171. 清黄花梨百宝嵌高面盆架

径71、前足高74.5、高201.5厘米。

盆架搭脑两端安灰玉琢成的龙头。通身嵌用白色有光厚螺钿制成的螭纹。中牌子用牙、角、绿松石、寿山石、玛瑙、金、银等多种贵重材料嵌山水人物。其中有人牵舞狮，有人捧珍宝，乃是一幅职贡图。不论用料或嵌工皆远远超过四顶大柜（图版149）。可见同为百宝嵌，高下颇有等差。像这样豪华富丽的家具，即使在故宫也是不多的。

172. 明黄花梨滚凳

77×31.2、高21厘米。成对之一。

有束腰，内翻马蹄，似炕桌而矮小。面板被中枨分隔为两块，各留长条空当，装中间粗两端细的活轴两根，和《鲁班经匠家镜》插图所示十分相似。

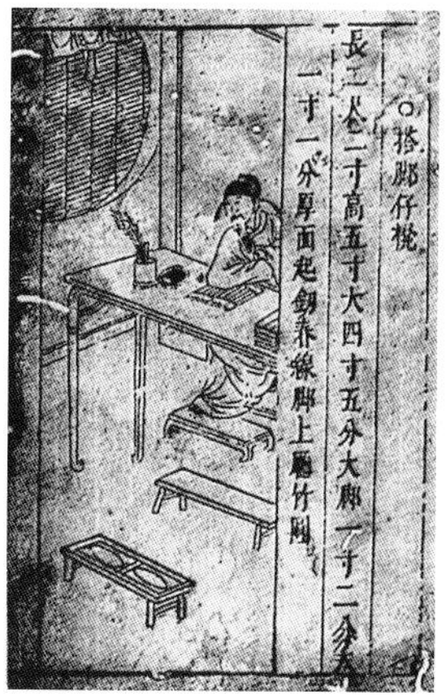

明杨定见本《水浒传》插图绘出厅堂正中桌下放滚凳一具，桌两侧各放一把圈椅。它反映了当时摆放的情况，并可以想见坐在圈椅上，两足踹活轴，即可进行有利于血液循环的锻炼。

○搭脚仔凳
長二尺二寸高五寸大四寸五分大脚一寸二分
一寸一分厚面起剑脊线脚上廂竹圓

173. 清红木甘蔗床

29×11、高27厘米。

形制如板凳而面板向一端倾斜，并开圆槽与流口相通，以便蔗汁顺槽流入放在下面的容器。凳面植立柱两根，中加横枨。榨板如一把拍子，尽端插入枨下，采用了杠杆的构造。此床的制作年代可能已晚到清中期，但其造型及柱顶装饰等尚保留明式家具的特点。

174. 清柞木枕凳

20.8×7.5、高9.8厘米。

凳面板微凹，长不及尺，高三寸许，可以作枕。凳上常备特制棉垫，用带和四足系牢。据惯用此枕者称，软枕竟难入睡。它的另一用途是中医请患者将手腕搭在凳上，按听脉象。

枕凳造型古朴，和板凳很相似，可以小中见大。

175. 清紫檀小翘头案

19.6×4.8、通高9.5厘米。

制者选用最佳紫檀做成夹头榫、素牙头、香炉腿翘头案，和长逾一丈的大案相比，可谓具体而微。它本身是一件陈设品，也可以摆在鎏金佛像前，作为供案。它更是书斋案头常物，因久经把玩，莹滑如乌玉，倍觉可爱。

家具收藏者一览表

（依笔画顺序）

收藏者	家具图版编号
中央工艺美术学院	13 15 42 43 47 52 61
王世襄	7 8 9 10 11 14 18 19 31 33 36 39 44 46 50 51 55 58 60 63 67 71 72 73 75 79 82 84 87 88 90 100 102 103 104 105 107 108 111 115 123 124 125 127 131 134 142 144 151 152 153 154 157 160 161 162 163 166 167 168 170 172 173 174 175
天津市文物商店	147
天津市历史博物馆	156
天津市艺术博物馆	32 34
北京木材厂	12 21 22 35 66 112
北京市文物局	143 145
北京市文物商店	116 136
北京硬木家具厂	17 24 26 29 54 78 80 81 94 97 99 146 148 155 158 159 164 165
朱光沐夫人	122
法源寺（中国佛教图书文物馆）	119
故宫博物院	20 27 53 56 59 62 64 76 89 91 96 110 113 117 121 126 128 129 133 138 149 150 171
浙江省博物馆	109
陈梦家夫人（赵萝蕤教授）	37 38 40 41 45 57 65 70 74 77 85 92 98 101 106 114 118 120 130 132 135 139 140 169
张安	23 86
黄胄	28 137
杨乃济	30
费伯良	16
叶万法	48 141
颐和园	25 49 68 69 83 93 95

王世襄简历

王世襄，号畅安，祖籍福建，1914年5月25日在北京出生。母亲金章，是著名的鱼藻画家。

1938年，获燕京大学文学院学士。

1941年又获该校文学硕士学位。

1943年至1945年，在四川李庄任中国营造学社助理研究员。

1945年10月至1946年10月，任南京教育部清理战时文物损失委员会平津区助理代表，在北京清理追还在战时被劫夺的文物。

1946年12月至1947年2月，被派赴日本任中国驻日代表团第四组专员，交涉追还战时被日本劫夺的善本书。

1947年3月至1948年5月，在北京任故宫博物院古物馆科长。

1948年6月至1949年6月，由故宫博物院指派，接受洛克菲勒基金会奖金，赴美国、加拿大参观考察博物馆一年。

1949年8月至1953年6月，先后在故宫博物院任古物馆科长及陈列部主任。

1953年6月至1962年9月，在中国音乐研究所任副研究员。并于1961年，在中央工艺美术学院讲授《中国家具风格史》。

1962年10月至1980年10月，任文物博物馆研究所、文物保护科学技术研究所副研究员。

1980年11月至今，任文化部文物局古文献研究室研究员。同时，亦为全国政治协商会议委员。

主要著作

《清代匠作则例汇编》（佛作·门神作）1963年自刊油印本，1969年香港中美图书公司铅印本。

《竹刻艺术》1980年4月人民美术出版社。

《髹饰录解说》1983年3月文物出版社。

《明式家具珍赏》1985年9月三联书店香港分店、文物出版社联合出版。

《中国古代漆器》文物出版社、外文出版社合作出版。

《明式家具研究》三联书店香港分店出版。